El evangelio según Van Hutten

Seix Barral Biblioteca Breve

Abelardo Castillo
El evangelio según Van Hutten

Diseño de colección:
Josep Bagà Associats

Primera edición: abril de 1999

© 1999 Abelardo Castillo

Derechos exclusivos de edición
en castellano reservados para
Hispanoamérica y España
© 1999 Editorial Planeta Argentina S.A.I.C
Independencia 1668, 1100 Buenos Aires
Grupo Editorial Planeta

Hecho el depósito que indica la ley 11.723
ISBN 950-731-226-9
Impreso en la Argentina

uAcU -1766

*A Sylvia, un atardecer,
en el puente de los gansos*

*El paisaje desértico que rodea al Mar
Muerto es monótono, imponente y terrible...
Las colinas no sugieren rostros de dioses
ni de hombres... Uno de mis compañeros,
que conocía bien Palestina, me dijo: "Nada,
fuera del monoteísmo, pudo salir de aquí".*

EDMUND WILSON, *Los rollos del Mar Muerto*

*Ego vero Evangelio non crederit,
nisi me catholicae conmoveret autorictas.
[Yo no creería en el evangelio
si no me moviera la autoridad de la Iglesia.]*

SAN AGUSTÍN, *Contra la Epístola llamada "del Fundamento"*

PRIMERA PARTE

Capítulo uno
La llegada

No pido que se me crea. Yo tampoco creí en las palabras de Van Hutten hasta mucho después de mi regreso a Buenos Aires, al recibir el sobre con su pequeño legado de dos mil años, pero, aun así, sé que esta prueba no significa nada y prefiero pensar que Van Hutten mentía o estaba loco.

Toda historia, creíble o no, necesita un comienzo. No es así en la vida real, donde nada empieza ni termina nunca, simplemente sucede, donde las causas y los efectos se encadenan de tal modo que para explicar debidamente el encuentro casual de dos desconocidos, un sueño o una guerra entre naciones, uno debería seguir su rastro hasta el origen del mundo, pero es así en los libros, o al menos estamos acostumbrados a que sea así. Un hombre sale de su casa, sube al primer taxi que encuentra, llega a una estación de trenes: al hacerlo no siente que comience nada, cientos de personas han hecho lo mismo y están ahora en este mismo lugar. Sabe además que este vagón nocturno sólo es la continuación de una serie de actos, deseos o proyectos que se pierden en algún punto del pasado y se extienden ante él como un paisaje de niebla. Ignora con quién se encontrará, ni siquiera espera encontrarse con alguien. Sin embargo, cuando leemos las palabras que describen esos mismos hechos en lo alto de una página –*cuando tomó el tren esa noche, no podía saber que se encontraría con Van Hutten*– sentimos que en ese momento empieza una historia.

El comienzo de la que estoy escribiendo puede situarse en la primavera de 1947, junto a los acantilados occidentales del Mar Muerto, en la meseta de Qumran, la mañana en que un muchacho beduino que contrabandeaba cabras dejó caer, por azar o por juego, una piedra en una cueva y oyó, allá abajo, el ruido de una tinaja rota. O todavía mucho antes, en Éfeso o en Patmos, el día en que un anciano casi centenario decidió recordar, en lentos caracteres arameos, una historia que cambiaría el mundo y de la cual era el último testigo. Este principio, desde luego, le gustaría a Van Hutten. Para mí, empieza en el otoño de 1983, en la inesperada biblioteca de un hotel rodeado de pinos y araucarias, en La Cumbrecita, a ochocientos kilómetros de Buenos Aires, cuando vi la firma de Estanislao Van Hutten en un libro sobre la secta de los esenios.

No importan demasiado las razones por las que yo estaba en ese lugar. No soy el protagonista de mi libro. Es suficiente con que un tren me haya dejado en alguna parte, un ómnibus en otra, y que finalmente me llevara hasta ese hotel un chofer silencioso e inquietante que oía marchas alemanas en el pasacasetes de su automóvil. De este último trayecto, recuerdo el esplendor vehemente del atardecer y las vueltas de un camino bordeado de pircas, apenas transitable. Recuerdo un diálogo:

–Este camino es bastante malo.

—Es a propósito —dijo el chofer.

Tenía un leve acento extranjero y no parecía dispuesto a dar ninguna otra explicación. Yo no me resignaba a seguir callado. Las marchas alemanas, además, me habían puesto de mal humor.

—Por qué dice eso —pregunté.

El hombre ni siquiera me echó una mirada por el espejo retrovisor.

—Porque es malo a propósito.

Yo no podía leer en ese auto y sabía que el trayecto no era nada corto. Cuarenta kilómetros entre sierras y piedras.

—Cuánto se tarda en subir.

—Usted quiere conversar —dijo el chofer—. La gente que viaja sola quiere conversar. ¿Cuánto se tarda? Una hora. Usted quiere conversar pero si me hace hablar a mí va a tener que viajar callado. No soy alemán —dijo de golpe—. Soy húngaro. La última vez que vi a mi mujer, estaban tocando marchas como éstas. No debería ser así, pero cuando las escucho me acuerdo de su cara. Los seres humanos son muy extraños.

—No tiene que explicarme nada —dije.

—Nunca arreglan el camino. No lo arreglan para que sea difícil llegar. Viven de la gente que viene a esos hoteles, pero no les gusta mucho la gente. Es un lugar muy hermoso, ya lo va a ver. Tal vez sea el lugar más hermoso de este país. Una aldea alpina en miniatura. Miles de árboles plantados a mano, uno a uno. Ellos llegaron hace cincuenta años, en burro. Hicieron todo este camino en burro, en mula o a caballo, vieron el lugar, imaginaron lo que podría llegar a ser y plantaron miles de árboles. Construyeron las casas y los hoteles. Hay un arroyo y una cascada entre los árboles. El arroyo se llamaba Mussolini, qué me dice. Hay un cementerio allá arriba, a mil seiscientos metros de altura. Parece un parque. Si no fuera por los muertos uno podría quedarse a vivir ahí. Al final del camino principal hay una hoya con gansos. Casi todos ellos son alemanes pero en el cementerio hay dos tumbas judías. Los seres humanos son muy extraños. Del otro lado de la hoya de los gansos está la posada de Frau Lisa. Vaya y dígale que lo manda Vladslac. Soy húngaro, odio a los alemanes, pero hace treinta años que vivo acá. Dígame por qué.

—No sé. Por qué.

—Usted lleva un libro en la mano y no puede leer en mi auto, por eso quiere conversar. ¿Qué libro lee?

Yo se lo dije, casi con vergüenza, sin demasiadas esperanzas de que el dato nos sirviera para algo; no era un libro como para alentar una conversación. Entonces sucedió un hecho inesperado. El hombre disminuyó la marcha del coche y se dio vuelta hacia mí. Su mirada no era cordial.

—A qué vino —preguntó.

No recuerdo qué le contesté, pero recuerdo haber sentido vagamente que mi respuesta, o algo insípido en mi cara, lo tranquilizó, aunque no volvió a hablar en todo el camino.

De haber sabido con quién iba a encontrarme en aquel lugar tal vez habría adivinado que esa pregunta hostil y ese silencio estaban relacionados con el libro. Por el momento, sólo me pareció un pequeño rasgo de locura. Nadie está preparado para que un libro de Salomón Reinach sobre la Historia de las Religiones pueda causarle inquietud a un conductor de coches de alquiler, por más europeo que sea. Lo curioso es que yo llevaba ese libro en la mano por azar; lo había comprado una semana atrás, en una librería de viejo, y esa misma tarde lo había sacado del bolso por equivocación. Claro que las palabras equivocación y azar no serían aprobadas por Van Hutten. Del final del trayecto recuerdo un puente de madera y un curso de agua translúcida con un lecho de piedras blancas, y que, al cruzar el puente, las sierras desaparecieron entre los árboles. En ese mismo momento se hizo de noche.

Unos minutos después, el auto se detuvo.

–Su hotel son aquellas luces. Habrá cincuenta metros. Le aconsejo que baje del auto y camine. Yo le llevo las cosas.

Me recibió un casi abrumador laberinto de pinos, araucarias, eucaliptos y álamos que me parecieron centenarios. Tuve, al menos por un instante, la sensación agradecida e inexplicable de que el mundo era una joya inmensa.

–Qué le dije –dijo Vladslac.

CAPÍTULO DOS
La mujer en el comedor
y el doctor Golo

El hotel, fuera de temporada, parecía agregar a sus evidentes virtudes de refugio alpino de tarjeta postal, la profundidad y el recogimiento del silencio.

Estaba casi desierto, lo descubrí la misma noche de mi llegada. Si lo que yo andaba buscando era una emoción fuerte, seguramente me había equivocado de destino. Si lo que buscaba era olvidarme de Buenos Aires, y eso era precisamente lo que buscaba, había dado con el lugar exacto. Las comidas se anunciaban con un gong: a las nueve en punto se oyó el de la cena. Al bajar de mi cuarto, no me crucé con nadie. En el comedor, iluminado por grandes lámparas de hierro circular, no había más de diez personas, aisladas silenciosamente en tres mesas muy distantes entre sí. Dos grupos de aspecto soñoliento, ningún chico, una alta mujer sola que llegó retrasada y comió de espaldas al resto de las mesas, yo mismo: eso era todo. Mi capacidad de observación es casi nula. Sólo retengo palabras, posiciones de ajedrez y gestos mínimos. No recuerdo las caras ni la forma real de lo demasiado visible; sin embargo, tal vez no deforme las cosas si digo que esa mujer me impresionó de inmediato, como seguramente no invento el recuerdo de la exagerada atención que recibió su mesa y, hacia el fin de la comida, la fijeza inquisitiva de sus ojos que me miraban desde un espejo. Era una mujer bastante mayor que debió haber sido muy hermosa a la manera flamenca, como salida de un cuadro de Van Dyck, un Van Dyck que fuera al mismo tiempo Klimt, aunque ésta es seguramente una observación posterior a esa primera noche.

Después de la comida tomé una ginebra en el bar y hablé algunas palabras con el hotelero, un alemán afable y algo remoto, quien me ofreció un pequeño mapa del lugar y me describió sus características con el elocuente desinterés de un guía de museo. El también me habló de la cascada, de la hoya, del cementerio en la cumbre. Le pregunté si era cierto que el cementerio estaba a mil seiscientos metros de altura y él me informó que efectivamente, a unos cinco mil pies. Claro que a nivel del mar. Unos trescientos pies –y acá se corrigió con una leve y condescendiente cortesía–, unos cien metros, si los medíamos desde el hotel. Yo lo oía mirando la noche por una de las ventanas que daban al camino. Entre los árboles, me pareció ver el auto de Vladslac, con las luces de posición encendidas.

–Un cementerio. ¿Para qué un cementerio?

–La gente muere en todas partes. En este lugar no sólo hay turistas. Aunque también tenemos dos o tres turistas enterrados. –Me miró. –Ninguno de este hotel.

–Eso me tranquiliza –dije sin mentir.

Me estaba preguntando cómo iba a hacer para conciliar el sueño. Era poco más de las diez de la noche y no parecía que, exceptuando la cama de mi cuarto, hubiera muchos lugares adonde ir. Mi idea de la soledad exige una cierta libertad de elección.

—Qué se puede hacer de noche, en un sitio como éste. Quiero decir, si uno no tiene sueño.

—Caminar entre los árboles —me dijo, con una tenue hostilidad. Pensé si mi pregunta no le resultaba acaso demasiado argentina—. Incluso, puede visitar el cementerio. Entre nosotros, no corre ningún peligro. No existen asaltantes nocturnos, ni fantasmas, ni motociclistas borrachos. También hay alguna hostería abierta hasta medianoche. Si le interesa la lectura, el hotel tiene una biblioteca.

—¿Le cuesta dormirse?

La pregunta vino desde mi costado. Un señor bajito, de lentes redondos. No recordaba haberlo visto en el comedor.

—No —dije—. No exactamente. Pero me cuesta acostumbrarme a ciertos horarios.

—Mañana se le va a pasar. Es el síndrome de la primera noche. Demasiada naturaleza. La ginebrita no lo va ayudar a dormirse, si me perdona el consejo profesional.

—Profesional, en qué sentido.

—En todos.

—Entonces, acompáñeme —dije, señalando mi vaso.

—No bebo. Hay dos clases de personas que no beben: los abstemios y cierto tipo de alcohólicos. Mi apellido es dificilísimo pero puede llamarme Golo. Doctor Golo.

Me dio la mano. Le dije mi nombre.

—¿Profesión?

—Ninguna.

El doctor Golo sacó una pequeña pipa curva del bolsillo de su chaleco.

—Eso me gusta —dijo sin mirarme, mientras la cargaba delicadamente de tabaco—. Me gusta mucho. Le hablo como médico y como moralista. El trabajo es el síntoma de una enfermedad. Tanto que ya hay una disciplina científica destinada a su estudio. El trabajo es el síntoma de una enfermedad del alma: trabajamos porque hemos pecado. En el Paraíso, nadie trabajaba. Sin embargo, perdóneme, usted no parece un caballero pudiente. No sugiero que tenga aspecto harapiento pero es más bien del tipo... No me diga nada, yo adivino en seguida. Intelectual. Usted tiene cierto género de relación con los libros. Por lo menos, los lee. Espero que no sea poeta. —Terminó de maniobrar con la pequeña pipa y, mirándome, hizo una pausa perfectamente deliberada. —Ni periodista... —Encendió la pipa y siguió hablando con toda naturalidad. —Quiero decir que si llegó a este lugar en busca de inspiración, o de reportajes sensacionales, cometió un error. La naturaleza no es noticia ni nos deja imaginar nada. Por eso es tan aburrida la poesía pastoril. Y pasa lo mismo con la pintura. ¿Conoce la anécdota de Anatole France sobre el pintor de los árboles? Un día de estos se la cuento. El paisajismo es un género imposible. ¿Por qué cree que van Gogh se pegó un tiro a la intemperie? La única naturaleza pintable es la naturaleza muerta. La verdadera naturaleza sólo permite pensar. Nietzsche, por lo menos, creía eso.

—Hoy me he encontrado con dos personas muy raras —dije—. Usted es la segunda.

—La primera fue Vladslac. No me pregunte cómo lo sé. En La Cumbrecita se sabe todo. Me refiero a la verdadera Cumbrecita. ¿Ya le han dicho que acá no todo es hoteles y hoyas con gansos? Hay casas, gente que vive. Gente a menudo desconfiada. ¿Cuánto piensa quedarse?

—Dos o tres semanas. Un mes.

—Cuántos años tiene usted.

Se lo dije. Debí de hablar en voz demasiado baja, porque el doctor Golo preguntó:

—¿Cuántos?

—Cuarenta y nueve.

—Parece más. Coma menos carne y haga ejercicios respiratorios. Tome un vaso de agua en ayunas todas las mañanas. Vigile su próstata. Hacer pis con alegría es el secreto de una vejez tranquila. Hasta mañana.

Se inclinó y se fue.

Subí a mi cuarto sonriendo, me tiré vestido sobre la cama e intenté leer una novela policial. No pude. Saqué de la valija el tablero y las piezas de ajedrez y comencé a reproducir una de esas partidas tumultuosas de Thal cuya belleza puede reemplazar, al menos para mí, la lectura de cualquier novela, policial o no. Tampoco pude. El silencio era tan imperioso que me impedía concentrarme. Salí al balcón terraza que se extendía a lo largo de la pared que miraba a los pinares.

El automóvil de Vladslac seguía allá, estacionado al costado del camino.

Vi las siluetas de una mujer y dos hombres que se acercaban a él. Uno era muy bajo. La mujer subió atrás, sola, y el auto desapareció entre los árboles. Un momento después vi sus luces, subiendo una cuesta.

Lo sé perfectamente: ahora podría escribir que en ese momento tuve la certeza de que la mujer del comedor, Vladslac y el doctor Golo no se habían cruzado en ese parque por casualidad. Pero si lo escribiera mentiría. No tenía ninguna razón para pensar nada ni creo que, por lo menos esa noche, mi cabeza realizara ninguna de las operaciones que llamamos pensar. Tampoco tuve el menor sueño amenazante o premonitorio. Me dormí a eso de la una de la mañana y desperté a mediodía, sin casi recordar la noche anterior.

Esa tarde o la siguiente, en la biblioteca del hotel, encontré el libro sobre los esenios con la firma autógrafa de Van Hutten. Por decirlo de alguna manera, el hecho me conmovió. Yo había leído ese libro, con asombro y fervor, casi treinta años atrás.

CAPÍTULO TRES
El libro sobre los esenios
y la chica en el puente

Tal vez haya llegado el momento de decir unas pocas palabras sobre mí mismo. Mi nombre no importa. Soy profesor sin cátedra. Doy clases privadas de Historia Medieval, lo que de hecho equivale a carecer de ocupación, como le había confesado la primera noche al doctor Golo, y en mis ratos perdidos juego sosegadamente al ajedrez. Esta última profesión es, en mi caso, por lo menos tan dudosa como la primera: juego distantes partidas por correspondencia y me preservo de la realidad componiendo lo que en la jerga ajedrecística se llama finales artísticos. Supongo que mi fascinación por el universo abstracto del ajedrez, por su belleza inútil, me impidió ser un verdadero historiador, del mismo modo que mi curiosidad por el corrupto y caótico mundo de la historia, me distrajo del ajedrecista que debí ser. Mi vinculación con la arqueología bíblica se remonta a mi adolescencia y es apenas un poco mayor que la de cualquier persona de las llamadas cultas. No soy un hombre religioso. He sido razonablemente católico, soy razonablemente agnóstico y me considero cristiano en el sentido argentino del término, es decir, no soy un pagano, no soy un indio. Descartado el azar, eso debería explicar suficientemente que llegara a La Cumbrecita llevando entre mis libros un viejo volumen de Salomón Reinach, que fue algo así como el pasadizo por el que me deslicé durante unos días al inesperado mundo de las excavaciones en Medio Oriente, las intrigas internacionales y las polémicas teológicas.

En los años cincuenta yo había asistido como oyente a unas clases universitarias sobre religiones comparadas y había leído dos o tres libros sobre el tema. Un poco después publiqué, pagado de mi bolsillo, un mínimo ensayo escatológico sobre el problema de Judas, en el cual, amplificando aquellas enigmáticas palabras atribuidas a De Quincey (*no una cosa, todas las cosas que la tradición afirma sobre Judas Iscariote son falsas*), yo negaba sin demasiados argumentos que el misterio de la traición a Jesús pudiera explicarse por las razones que nos legó la Iglesia. Mi trabajo no pretendía ser académico ni religioso, sino modestamente poético, y acaso escandalizador. Tenía mucho más que ver con mi edad y con la edad del mundo en los sesenta que con la fe o el rigor científico. Que yo sepa, nadie lo leyó en treinta años, ni yo mismo había vuelto a abrirlo. De esa época perdida data casi todo lo que, hasta el otoño de 1983, yo sabía sobre los rollos del Mar Muerto, sobre la secta solitaria de los esenios y sobre la participación de Van Hutten en las polémicas teológicas a que dieron lugar las excavaciones.

El resto de mi opaca biografía personal hasta el momento en que comienza este libro incluye la pérdida de la juventud, dos divorcios que no hacen al tema y mi paulatina convicción de que el mundo moderno es un lugar siniestro que, afortunadamente, ha llegado a su punto de colapso. En cuanto a mi relación con Estanislao Van Hutten, puedo resumirla diciendo que en veinte años yo no había vuelto a oír su nombre. Hacia 1965 sólo conocía dos de sus libros y su fotografía en una publicación arqueológica. Se lo veía alto y borroso, a contraluz, tomado desde el interior de una de las cuevas del Qumran, sobre un fondo blanco de acantilados. Treinta años después, aunque ahora he mirado su cara arrasada e inolvidable, no estoy seguro de conocer mucho más que eso de aquel hombre extraordinario a quien algunos de sus contemporáneos, tal vez sin exagerar en ningún caso, han llamado sabio, fanático religioso, hereje o loco.

Hoy día casi nadie lo recuerda, pero, en la década del cincuenta, las revistas de arqueología bíblica e incluso los diarios sensacionalistas mencionaban su nombre junto al del Reverendo Padre de Vaux, al de Mar Atanasio Yeshue Samuel, metropolitano del convento San Marcos de Jerusalén, o al de Dupont Sommer, en el descubrimiento y la traducción de los rollos del Mar Muerto. Edmund Wilson, que lo conoció en el desierto de Judea y fue su amigo, declaró alguna vez que no existían en total más de veinte personas capaces de tomar en serio sus ideas, sólo que esas veinte personas eran las más eminentes de Europa. Mircea Eliade prefería la hipótesis de la locura, tal vez porque Van Hutten se jactaba de vivir en Buenos Aires y ser sudamericano. Origen, o fatalidad, que siempre estará por encima de la comprensión de un europeo.

Van Hutten, sin embargo, no era argentino; ni tampoco arqueólogo de carrera. Era uruguayo, doctor en filología clásica y teólogo seglar, lo que no dejaba de empeorar las cosas. Había escrito una ópera bufa, no negaba beber fuerte, había sido acusado de seducir a una de sus alumnas de la Universidad del Salvador y hablaba con soltura y elocuencia unas veinte lenguas entre las que se contaban el sánscrito, el griego antiguo y el arameo de la época bíblica. Todo esto, y por encima de todo esto su origen sudamericano, lo rodeaba de una aureola de gigantismo bárbaro que producía desconfianza en el ámbito crepuscular de las universidades católicas y los museos arqueológicos del Viejo Mundo. Hacia el final de la Segunda Guerra, publicó el primero de aquellos libros casi adivinatorios que provocarían el estupor de los arqueólogos y el escándalo de la Iglesia. Sostuvo en él que el milagro de las murallas de Jericó había sucedido históricamente, pero sin la intervención de Dios. Le llamaba *milagro* en el sentido que se da a esta palabra en el teatro: milagro escénico. Su libro incluía el diseño de un sistema de palancas con el cual, según afirmaba, él mismo, sin ser Josué y sin necesidad de ninguna colaboración divina, hubiera podido derrumbar las murallas de cualquier ciudad fortificada de la época del Éxodo. Las siete vueltas rituales dadas por el ejército de Josué alrededor de Jericó no habrían tenido más que una finalidad: apagar, con su tumulto, el ruido de las picas en los fosos exteriores de la ciudad, mientras un grupo de judíos armaba ese sistema de palancas. Fue desautorizado, polemizó en varios idiomas, consiguió un permiso del gobierno inglés en Palestina y contrató unos beduinos. Excavó las ruinas de la Jericó actual y probó que debajo de esos sagrados escombros existían los de la Jericó bíblica, cuyos muros lamentables estaban hechos de barro crudo y paja. *Señores,* declaró en español rioplatense, en un simposio académico de la Universidad Católica de París, *ese milagrito era más fácil que voltear una tapera*. Frase que tradujo: *Les vrais prodiges du Bon Dieu, messieurs, ne sont que les inspirations des hommes*. Cuando las autoridades eclesiásticas de Roma amenazaron con excomulgarlo por excluir a Dios del milagro de la Tierra Prometida, publicó una carta abierta a la Iglesia en la que se declaraba creyente en Dios, apóstol filosófico de Dios y católico ortodoxo, pero que terminaba con una apelación directa al Papa y una cita del libro de Job: *Dios, Santo Padre, no necesita de nuestras mentiras*.

Su obra más extraña es un libro en alemán sobre la secta de los esenios, publicado hacia la época de los primeros descubrimientos arqueológicos del Qumran, es decir: escrito, necesariamente, antes de esos descubrimientos. Sostiene allí que no sólo Juan el Bautista, sino el apóstol Juan y el propio Jesús pertenecieron a la orden de los Solitarios, y, de modo misterioso, *predice* el hallazgo de documentos que, en poco tiempo, podrían confirmar la relación de Jesús con esa primitiva comunidad secreta.

Los testimonios históricos y las citas traducidas directamente del griego antiguo y del arameo, acumulados en ese libro, transformaron a Van Hutten en una autoridad en cuestiones bíblicas, pero la vehemencia de sus razones y la suntuosidad de su prosa hicieron que los eruditos desconfiaran de su objetividad científica, más o menos en la misma medida que la Iglesia desconfiaban de su fe.

En los años siguientes, participó de las excavaciones del Qumran, y, después de una vasta y desconsiderada polémica con el padre Roland de Vaux y con el hebraísta judío Moshe Jelaim, a propósito de la traducción de los rollos, cambió bruscamente de actitud. Durante un tiempo se defendió con la ironía y el desdén, más tarde con el silencio; finalmente, se retractó.

Su anunciado segundo libro sobre los evangelios, del que hace treinta años circulaban en la Universidad de Buenos Aires unos capítulos en hojas de mimeógrafo, nunca fue publicado. Van Hutten, misteriosamente, renegó de él. Yo recuerdo, sin embargo, que a principios de los años sesenta no sólo declaraba haber terminado esa obra sino que se jactaba de haber revolucionado con ella todas las ideas que se tienen sobre el cristianismo. Poco tiempo después, negaba haber dicho estas palabras; por fin declaró que el manuscrito que le atribuían era una invención ridícula, y ya no volvió a escribir. Hacia 1975, leí en algún diario que se había matado en un accidente, piloteando su avioneta: le dedicaban diez líneas. Un año después de su muerte, toda su obra fue prohibida en nuestro país por el gobierno militar.

Las prohibiciones y la tumba suelen acarrear la celebridad. Con Van Hutten ocurrió una paradoja inversa: su nombre comenzó a ralear de las bibliografías y fue olvidado. No sólo fue olvidado su nombre; hoy ni siquiera se recuerdan los rollos del Mar Muerto. Lo que alguna vez fue llamado el descubrimiento arqueológico y religioso más grande de los tiempos modernos, ha pasado a ser un capítulo casi policial de la desidia, la burocracia o el ocultamiento.

Esa tarde, como ya he dicho, encontré en la biblioteca del hotel la edición alemana de *Das Esenien*, el más extraño de sus ensayos.

No sé a quién pueden interesarle hoy las teorías de

ese libro heterodoxo, ni su tema hace exactamente al asunto por el que lo menciono –la firma autógrafa de su autor, o más precisamente la fecha de esa firma– pero debo decir unas palabras acerca de su contenido.

Van Hutten sostenía que el cristianismo es una secta disidente, socialmente radicalizada, de los esenios, un cisma de un cisma dentro del judaísmo. Apoyado en citas de Flavio Josefo, de Filón de Alejandría, de los libros evangélicos y, sobre todo, apoyado en la formidable contundencia de un estilo fulgurante que en sus mejores momentos recuerda al de Léon Bloy, Van Hutten afirmaba que Yojanaan (Juan el Bautista), era un esenio revolucionario que profetizaba en el desierto de Qumran la llegada del último Maestro de Justicia: Jesús de Galilea. Van Hutten no negaba la divinidad de Jesús, pero, por esa misma razón, cometía quizá una herejía mayor: hacía un esenio del hijo de Dios. Lo que de hecho equivalía a hacer un esenio del propio Dios. La confabulación de los romanos, de los judíos ortodoxos y, más tarde, de los propios cristianos renegados, habrían conseguido aplastar esa formidable rebelión espiritual. La traición atribuida a Judas Iscariote no tenía otro origen. Era un fraude, una falsificación de los textos evangélicos, una impostura con la que se pretendía ocultar una traición mucho más abominable y monstruosa: la traición cristiana a la iglesia violenta y catecúmena de Jesús. Recuerdo el libro entero porque recuerdo la impresión que me produjo esta afirmación, que Van Hutten no se tomaba el trabajo de razonar ni probar y que aparecía como perdida en una nota al pie de página. La idea de un Judas no traidor me fascinó, aunque no parece que esa nota le haya llamado la atención a nadie más que a mí. En ese mismo libro figuran las dos o tres proposiciones que escandalosamente lo hicieron célebre. La Metafísica, sostenía Van Hutten, es una forma envilecida de la poesía, una fría parodia intelectual del sentimiento religioso; no es ni fue nunca ni puede ser una ciencia. La Teología es algo peor, es un pecado: la Teología es la forma más arrogante y perversa del orgullo demoníaco. Heidegger era un poeta fracasado y santo Tomás poco menos que un ateo. En cuanto al concepto mismo de religión es, sencillamente, un malentendido. Nada de lo que llamamos revelación, sagrado, divino, pertenece a la esfera del verdadero sentimiento religioso: la religiosidad es una estructura espiritual esencialmente humana, vale decir social, ya que el hombre sólo se concibe en comunidad con los demás hombres y no con Dios, quien, si existe –y Van Hutten nunca negó su existencia–, es incomprensible, indemostrable y ajeno por definición a nuestra realidad. La filosofía de la religión es el fundamento de una nueva metafísica cuyo fin es a su vez una nueva ética comunista, implícita en las enseñanzas de los evangelios cristianos. Implícita, y no explícita, porque los evangelios han sido adulterados.

Hacia el final del libro, Van Hutten promete un análisis semántico, que nunca llegaría a publicar, del Evangelio de Juan. Todo el lenguaje de ese escrito griego es esenio, afirma, y por lo tanto, contra todo lo que se creyó hasta hoy, el evangelio original de Juan debió ser *el más antiguo* y no el más reciente de los cuatro que conocemos. Lo que no descartaba que pudo haber otros, anteriores. O por lo menos otro. Van Hutten decía estar plenamente convencido de que existió un texto sagrado original, una fuente de las fuentes, un evangelio arameo contemporáneo de Jesús y acaso escrito por el mismo Juan, que, si fuera hallado, revolucionaría todas las miserables ideas que hoy tenemos sobre el sentido del cristianismo. El párrafo final de ese capítulo es característico de su estilo: *Que nadie encuentre nunca ese libro en llamas es un detalle arqueológico que no me quitará el sueño. Ningún arqueólogo verá nunca la cara terrible de Dios y, sin embargo, Dios existe. Una verdad que necesita pruebas no es una verdad.*

Éste es, a grandes rasgos, el libro que inició la escandalosa y efímera celebridad de Estanislao Van Hutten. Se publicó en Stuttgart, editado por Evangelisches Verlagswerk, hacia la época de los primeros hallazgos arqueológicos del Mar Muerto. Es decir, mucho antes de que se tradujeran los rollos que hoy se conocen como la Regla de la Comunidad o el Documento de Damasco; mucho antes de que se probara que el Khirbet Qumran había sido efectivamente un monasterio de los Solitarios del desierto y, de hecho, cinco o seis años antes que Dupont Sommer publicara su monumental recopilación de los fragmentos esenios.

El ejemplar que yo encontré esa tarde, en La Cumbrecita, estaba dedicado a la biblioteca del hotel y firmado de su puño y letra.

No era la primera edición, de 1949, sino una reimpresión publicada veintisiete años después. Uno de esos actos mecánicos que realizan los que suelen estar en contacto con los libros, me llevó a hojear el pie de imprenta. La fecha no me llamó la atención; por lo menos, no de inmediato. Lo único que en ese momento me pareció asombroso fue que Van Hutten hubiera sido alguna vez huésped de este mismo hotel.

Salí de la biblioteca con el libro en la mano y, sin imaginar que aquello iba a ocasionar un pequeño tumulto, le pregunté al hotelero si él había conocido a Estanislao Van Hutten.

–Por qué usted pregunta eso –dijo el hombre. Parecía haber recuperado de golpe el acento alemán. Como si la sorpresa le impidiera pensar en español.

Yo puse el libro sobre el mostrador.

–Lo encontré en la biblioteca. Está dedicado al hotel.

El hombre tomó el libro y, sin decir una palabra, entró en una de las oficinas. Lo oí llamar a alguien; luego oí la voz de una mujer. Hablaban en alemán. El tono era nervioso y apagado. Creo que en ese momento tuve por primera vez la sospecha vaga e inexplicable de que en aquel lugar sucedían cosas que estaban, tal vez, por encima de mi comprensión.

Cuando el hombre volvió a salir, su aspecto era otra vez distante y amable.

–Ha habido pequeño error –dijo–. El libro no pertenece a la biblioteca. Es libro personal.

–Lo siento –dije–. No pensaba leerlo, de todos modos. Lo que me sorprendió fue la dedicatoria.

–*Ach, so!* La dedicatoria, *ja*. Personas muy famosos han parado en este hotel. Hay muchos libros dedicados, no tiene importancia.

–¿Quiere decir que el profesor Van Hutten estuvo en La Cumbrecita?

–Una vez o dos veces. –Pareció a punto de agregar algo pero inmediatamente cambió de opinión. –Hace grandes años. Si me perdona, tengo trabajo atrasado.

Me sonrió, o algo que en Bavaria equivalía a una sonrisa, y volvió a su oficina.

Esa misma tarde, en la Hostería de Lisa, mientras analizaba con mi tablero de bolsillo un final de peones de Berger, tuve la impresión de que me vigilaban. El lugar, sin embargo, estaba absolutamente desierto. Miré por la ventana que daba al puente de la hoya, casi con la esperanza de descubrir en alguna parte el auto de Vladslac o a la mujer del comedor. Lo que vi cambió por completo el rumbo de mis ideas.

Sólo había una chica, que no podía tener mucho más de veinte años. Me pareció muy hermosa. Estaba sentada en el puente, de perfil a mí, con los pies en el agua.

Mirándola, no pude evitar un pensamiento muy desagradable. Pensé que no demasiados años atrás, yo me habría levantado con naturalidad de aquella mesa y habría caminado hacia el puente. Seguí con mi partida; ése es el tipo de pensamientos que sólo puede ahuyentar el ajedrez.

Media hora más tarde, cuando volví a levantar la cabeza del tablero, la chica seguía allí, casi esfumada en la luz de oro del crepúsculo.

Ignoro si esta vez hubiera sido capaz de levantarme, pero de todos modos algo me lo impidió: entre los árboles de un recodo de la hoya, maniobrando un chinchorro, vi aparecer al doctor Golo. Traía un gabán a cuadros y un sombrero atravesado sobre la cabeza.

Capítulo cuatro
Otra vez el doctor Golo

Al releer lo que llevo escrito no puedo dejar de sentir un ligero malestar. El hecho de haber empezado a escribir esta historia conociendo de antemano lo que sucedió más tarde, le da a mis palabras un tono que no es el que deberían tener. Un tono de falso suspenso, de causalidad, de misterio premonitorio. Como si el personaje que anda por esas páginas, y que soy yo, no fuera un oscuro profesor de vacaciones sino el protagonista de una aventura que ha comenzado a resultar inquietante. Tal vez a la larga fue así, pero es bueno confesar que al principio yo no lo viví de ese modo. Si escribiera realmente la verdad, debería decir que lo que más hice esos dos o tres primeros días fue pasear entre las arboledas, visitar hosterías, beber agua mineral, comprar un sombrero alpino y hablar de la naturaleza con gente un poco estúpida cuyo aire de vivacidad era un producto efímero del exceso de oxígeno, empresarios, abogados, esposas de martilleros públicos que, como yo, habían llegado a La Cumbrecita con la ilusión de purificarse de esos basureros que llamamos ciudades, y que, lejos de sus televisores y sesiones de psicoanálisis, se sentían amables y parte del mundo natural.

El mismo hecho de sentirme observado −la palabra quizá sea vigilado, como escribí más arriba, pero hay en ella cierta desmesura que me molesta− no me pareció alarmante. Si pensé alguna cosa, pensé que en todo eso había un equívoco algo cómico, una confusión que se disiparía en cualquier momento. En la vida real, este tipo de malentendidos no sobrevive a una conversación de diez minutos.

En la hostería de Frau Lisa, como ya dije, volví a encontrarme con el doctor Golo. Cuando se acercó a la mesa yo estaba fumando mi pipa. Es una gran pipa noruega, de raíz de enebro, y no tengo por qué ocultar que, al menos hasta esa tarde, me sentía bastante orgulloso de ella.

−Formidable cachimbo −dijo el doctor Golo−. Esa pipa es una desconsideración, un artefacto. Demasiada cazoleta. Se le van a caer los dientes. Casi me quita la simpatía que me causa verlo fumar en pipa. ¿Ya consiguió dormir de noche?

−Sí. Usted tenía razón.

−Suelo tener razón, lo que no es nada agradable. Uno termina pensando si no estará loco. No puede ser que todos los demás estén equivocados. Voy a contarle la anécdota de Anatole France que le prometí el otro día. Había un viejo pintor al que llamaban el Miguel Ángel de los árboles. Un día estaba pintando, pongamos, un eucaliptus muy bonito. Pasa un chico y le pregunta: "¿Qué estás haciendo?". "Pintando ese árbol", le contesta el anciano maestro. El chico observa apreciativamente el caballete, mira el árbol real y pregunta: "¿Y para qué lo pintás, si ya está ahí?". Pero ahora me parece que esa anécdota no la contó nunca Anatole France. Sea como sea, espero que sus libros resulten más interesantes que esos árboles.

—No escribo libros.

—Pero los lee.

—Los leo.

—Me di cuenta. Ya lo vi entrando en la biblioteca. Lo preocupan los esenios.

Lo miré a los ojos. Hice una pausa deliberadamente prolongada.

—No. Tampoco me preocupa el profesor Van Hutten, si eso lo tranquiliza.

El doctor Golo ni pestañeó. Sacó su pequeña pipa curva, tomó mi tabaquera de encima de la mesa, la olió.

—Usted es una persona frontal, señor mío. Usted entra directamente en materia sin dar ningún rodeo. Qué más.

—Qué más qué.

—Qué más no le preocupa sobre el finado doctor Van Hutten.

—Nada me preocupa. En los últimos veinticinco años casi no había pensado en él. Lo recordé hoy, hace unas horas. Me llamó la atención encontrar su firma en un libro dedicado a la biblioteca del hotel. Eso me hace pensar que él vivió acá.

—Le hace pensar bien. Vivió y murió acá. Está enterrado en el cementerio de la cumbre.

—¿En el cementerio?

—Naturalmente. Los cementerios son el mejor lugar para enterrar a los muertos. Si quiere le muestro la tumba. ¿Usted lo conoció?

—No. Leí alguno de sus libros en mi juventud.

El doctor Golo encendió finalmente la pipa con mi tabaco.

—Otro punto a su favor —dijo—, sabe elegir el tabaco. Así que en su juventud. Cuando un hombre de su edad dice *mi juventud*, algo anda mal. O ha dejado de creer en sus ideas o lo han desilusionado las mujeres. Usted no es un mozalbete, pero tampoco es un cascajo. ¿Sabe qué dijo el viejo Haydn cuando agonizaba? Dijo: "Venir a morirme ahora, que empiezo a entender para qué sirven los instrumentos de viento". La juventud es un estado de alma.

No pude evitar reírme.

—Sí, me parece que ya he oído eso.

El doctor Golo me miró con severidad.

—Pero sólo le parece. Usted oyó las palabras. Seguramente pronunciadas por su padre, o por su apuesto abuelo. Usted las oyó como quien oye llover y se burló en el corazón de lo que considera un lugar común. Lo que sólo significa que no tiene ni la más remota idea de la verdad que encierran. La juventud está en el alma, es el estado de alma de ciertos hombres justamente cuando la juventud biológica ha abandonado su cuerpo. Mire esa niña que está en el puentecito. Ella todavía lleva, triunfalmente, la juventud en el cuerpo. Pero no la siente. No puede sentirla. Ella pone un pequeño pie en agua, luego el otro. Habla con los gansos, les tira miguitas. ¿Eso es una manifestación espiritual de su juventud? No señor, eso sencillamente se llama vivir. ¿Sabe qué es, o mejor, qué *hubiera sido* un interesante rasgo de juventud del alma?: dejarse de jugar al ajedrez solo como un marmota y haber trotado hacia ese puente para iniciar una conversación con la jovencita corporal del pie alternativo y los gansos. Ahora ya es tarde. Ella se levanta y se va. Se aburrió. ¿Usted es casado?

—Divorciado, dos veces. —Lo pensé un instante.
—Pongamos tres.

—Negra confesión. Las mujeres se cansan de usted o usted se cansa de las mujeres. Las dos cosas son terribles. Sobre todo la segunda.

—Hablábamos de Van Hutten —dije.

—No hablábamos de él: usted hablaba. Yo sólo le pregunté si lo conoció. Usted dijo que el tema no le interesaba.

—Y es cierto, sólo que por alguna razón empieza a interesarme. Hace un momento usted me dijo que yo era directo...

—Frontal, eso dije. Pim pum y al grano, no como yo. Mi estilo es más bien perifrásico, sinuoso en el sentido socrático. Siempre digo lo que pienso pero nunca digo lo que digo.

—Muy bien, quiero hacerle una pregunta frontal.

—Yo también, empiece usted.

—Desde hace unas horas me siento observado. Tengo la sospecha de que me vigilan.

—Si a eso le llama una pregunta cómo serán sus afirmaciones. Quién lo vigila.

Me tomé unos segundos para contestar.

—Tal vez usted.

El doctor Golo, lentamente, se echó atrás en su silla, se llevó las manos a los costados del cuerpo y tamborileó los dedos sobre su abdomen.

—Ya le dije que soy doctor, mire si resulto psiquiatra. Le diagnostico paranoia y me lo internan. Pero admitamos que tiene razón. Lo vigilo. Ahora me toca preguntar a mí. ¿Sabe por qué?

—No.

—Entonces qué problema tiene. Los equivocados somos nosotros, ha habido un error y usted puede seguir paseando entre los pinos, comprando sombreros, oyendo los pajaritos. Me parece que se hundió el chinchorro.

–Qué.

–El chinchorro, me parece que se hundió. Vine en un chinchorro y no lo veo más.

–Está sentado al revés. Lo atracó en el muelle, y el muelle está a su espalda.

–Menos mal, qué impresión. Entro en un lugar, doy una vuelta y ya no sé dónde estoy. Hay gente así. Tuve un profesor, también desorientado; daba clases sobre Grecia antigua. Podía describir a sus alumnos las calles, las plazas, las casas de Atenas como si las viera. Dibujaba el plano en el pizarrón y decía ven, éste es el límite de la ciudad, este firulete el acueducto, acá estaba el plátano donde Sócrates le dijo a Fedro que para él la naturaleza ni fu ni fa. Pobre profesor querido, después de clase había que llevarlo a su propia casa porque se perdía. El espacio es medio inesperado. Últimamente viene muy mezclado con el tiempo. Por ejemplo, a que usted ya se está olvidando de los problemas que tenía en Buenos Aires.

Yo recordé mi última noche con mi última mujer. No había sido un infierno de improperios, lágrimas y amenazas de muerte. Cuando esto ocurre todavía es posible decir que se ha salvado algo. Había sido un lento y civilizado intercambio de opiniones amargas.

–Quién le dijo que yo tenía problemas.

–Le vi la cara la primera noche. Tenía cara de suicida, de persona que se durmió a los treinta años, se despertó de golpe cerca de los cincuenta y, mirándose en un espejo se preguntó qué, cómo, quién es ese señor maduro.

Yo debí reconocer que era verdad, declaración que no pareció sorprender al doctor Golo.

—Es casi exactamente así —dije.

—Ya se lo anticipé, nunca me equivoco. Pero usted no contestó mi pregunta. Yo le preguntaba si no está empezando a olvidarse de sus problemas.

—Sí.

—Sin embargo, usted salió de Buenos Aires hace dos o tres días. Materialmente, no ha tenido tiempo de olvidar nada o de cambiar de situación. Salvo que sea un frívolo, cosa que no es: tiene más bien cara de renegado, y ese tipo de gente nunca es frívolo. Pero, muy bien. Cuando alguien olvida un problema decimos que es porque ha pasado... qué.

—El tiempo.

—No obstante, habíamos quedado en que tres o cuatro días no pueden ser llamados un largo tiempo.

—En realidad, no habíamos quedado en eso.

—Joven amigo —dijo el doctor Golo—, y permítame que lo llame joven, ya que a mi edad cualquier cosa que no sean las ruinas de Micenas me parece recién llegada al mundo, joven y sonriente amigo, usted debe limitarse a responder: "así es", "ciertamente", "de acuerdo". Esto es algo así como una clase peripatética de sentados. Se llama mayéutica. Retomo: tres o cuatro días no son mucho tiempo. En cambio, setecientos u ochocientos kilómetros es una considerable distancia. Entre su pasado y usted no hay tiempo, hay qué.

—Distancia.

—No sea irrespetuoso, soy octogenario. Sabe perfectamente que debe contestar: espacio.

—De acuerdo —dije.

—Lo que hay entre usted y el suicida potencial del espejo es espacio. A su alma le ha sucedido espacio. El espacio opera como el tiempo. Por eso los desesperados viajan, por eso existe el turismo. No importa que se pueda llegar a La Cumbrecita en unas horas. Cuando estamos entre estos abedules, nuestro departamentito del Once nos parece tan remoto como la prehistoria.

—Ciertamente —dije.

En ese momento llegó Frau Lisa, con su trenza dorada y su cara redonda y sonriente. Tan saludable y silenciosa como un postre de maicena.

—Condesa —dijo el doctor Golo—, un jugo de tomate. —Agregó unas palabras en un idioma que no era español ni alemán. —Qué me quiere preguntar —me dijo a mí.

—Le quiero preguntar cómo sabe que vivo en el Once.

—Elemental. Miré el registro de pasajeros. ¿O no le confesé que lo vigilo?

—Qué otras cosas sabe de mí.

—La edad, sus divorcios, que le interesan los esenios. O tal vez los rollos del Mar Muerto.

La última de estas frases fue pronunciada, después de una pequeña pausa, en un tono ligeramente distinto a todo lo anterior. Lo miré. El doctor Golo parecía muy ocupado en limpiar los anteojos con el faldón de su camisa.

—Todo lo que sé de esa historia lo leí hace veinticinco o treinta años.

—Hábleme de eso.

—De qué.

—Empecemos por los rollos.

Le dije lo que sabía, y lo que sabía entonces puede resumirse en unos cuantos renglones. En la primavera de 1947 un muchacho beduino de la tribu Ta'amira encontró por casualidad unas vasijas de barro, en una cueva de la meseta del Qumran. En esas vasijas había manuscritos bíblicos de dos mil años de antigüedad. Durante un tiempo, ni los arqueólogos ni los hebraístas supieron muy bien qué tenían entre manos, incluso se pensó en un fraude. Unos años después, alguien habló del descubrimiento arqueológico más grande de la historia.

—Muhammad ad Dib —dijo repentinamente el doctor Golo.

—Qué es eso.

—Un nombre. El chico beduino se llamaba Muhammad ad Dib. Algo así como Mahoma el Lobo. Arreaba cabras, iba camino de Belén. Tenía un ojo más claro que el otro. Tiró una piedra dentro de una cueva y oyó un ruido. Qué susto. Entró y se encontró con lo que podríamos llamar el Santuario de la Escritura... Siga.

—Siga usted. Todo lo que sé es lo que ya le dije.

—Sabe más. Aunque no sepa que sabe, sabe más. Por ejemplo: qué pasaba en 1947, en Palestina.

—Una guerra entre árabes e israelíes, me imagino. Siempre hay una guerra entre árabes e israelíes en Medio Oriente.

—Una guerra entre mahometanos y judíos, fomentada por ingleses cristianos, guerra que, literalmente, impidió a cristianos, judíos y mahometanos seguir investigando las cuevas hasta tres o cuatro años después. Momento en que también se interesó el Vaticano. Los hallazgos más espectaculares ocurrieron entre 1952 y

1955. De modo que en 1956 se declaró otra guerra. ¿Qué opina de esto?

—Nada —dije con sinceridad.

Vi venir a Frau Lisa. Traía un jugo de tomate y un alto vaso de algo que, a la distancia adecuada, olía inequívocamente a vodka. Interrogué con la mirada al doctor Golo.

—Yo lo pedí por usted. Lo invito, prosit. Ahora hábleme de los esenios.

Frau Lisa nos sonrió y se fue. Caminaba de ese modo sigiloso y aéreo que sólo es patrimonio de ciertas mujeres rubias y dulcemente gordas.

—Lo que sé de los esenios lo leí en el libro del profesor Van Hutten.

—Dígamelo.

—Eran una secta judía. Una comunidad secreta. Vivían en el desierto de Qumran.

—Vivían en todas partes. Llegaron hasta Grecia, puede creérmelo.

—Juan el Bautista perteneció a la Secta. Se sospecha que el cristianismo nació con ellos.

—No sólo se sospecha. Siga.

—Tenían un líder mesiánico al que llamaban Maestro de Justicia.

—O Maestro Justo. Sí. Vestían de blanco, hablaban poco, eran brutamente puros pero se casaban. Sabe por qué.

—No sé. Creían que el sexo es necesario para la salud, supongo.

—No señor, eso es una guaranguería. Un argentinismo. Eso es la cabronada de san Pablo sobre que la mujer es preferible al fuego del infierno. No señor. Los esenios, acaso sin saberlo, ponían la ética por sobre la moral religiosa. La moral sólo compromete al individuo, a la persona; la ética es una norma superior que abarca a la especie entera. La mujer es necesaria para engendrar hijos, para perpetuar la raza de los hombres.

El doctor Golo tenía la virtud de ponerme de buen humor. Poseía exactamente el tipo de inteligencia capaz de infantilizar a una persona de mi estructura mental. Hablaba de los esenios o del color de los ojos de Muhammad ad Dib como si acabara de conversar con ellos, decía Micenas como si fuera contemporáneo de Agamenón. Me hacía sentir una especie de estudiante secundario que no quiere parecer impresionado.

—Pero si no recuerdo mal —dije sonriendo—, eran un poco fanáticos para respetar el descanso del sábado.

—Y eso qué tiene que ver, se volvió loco.

—Que si no me equivoco, doctor, estos grandes éticos también decían que si un chico se cae a un pozo en sábado es pecado tirarle una soga. Si todos los chicos se ahogaran, me parece que la especie se vería un poco comprometida.

—No se haga el cínico. En arameo dice criaturas, no chicos. Criaturas creadas. Perros, camellos. Claro que a la larga, también niños de corta edad. De acuerdo. Admito que eso de no ayudar a las criaturas que se ahogan es una burrada, pero nunca sucede que todas las criaturas tengan preferencia por caerse al pozo sólo los días sábados. A lo sumo se ahogarían uno o dos por mes. Veo que sabe bastante. Qué más sabe.

—No creían en la propiedad.

El doctor Golo levantó hasta los ojos su vaso y me miró un instante. La última luz de la tarde, reflejada en el jugo de tomate, le daba a su cara un matiz discretamente luciferino.

—Y hacían bien. —Después de beber, suspiró. —La propiedad es el robo.

Capítulo cinco
Una revelación
y una trenza dorada

La conversación se extendió todavía unos minutos, pero no vale la pena transcribirla.

El doctor Golo se despidió repentinamente de mí, como parecía ser su costumbre, y me citó para el día siguiente al atardecer, en el cafecito húngaro que está situado frente al camino que sube al cementerio: prometió mostrarme la tumba de Van Hutten, en la cumbre. Yo me quedé todavía unos minutos en la hostería de la hoya, mirando el puente por la ventana y meditando en sus palabras sobre la juventud del alma. La chica de los gansos no volvió a aparecer.

Esa noche, en la cama, cuando estaba a punto de dormirme, tuve lo que podría llamarse una certeza embrionaria, una de esas revelaciones fugaces que se manifiestan en el entresueño y cuyo análisis consciente exigiría que nos desvelásemos por completo, cosa que esa noche yo no estaba dispuesto a hacer. Sentí, por un segundo, que había descubierto algo decisivo, aunque en ese instante no tuviera la menor idea de *qué era* lo que había descubierto. Una sensación análoga a la que suele describirse como tener una palabra en la punta de la lengua. Estaba vinculada, naturalmente, con la muerte del arqueólogo, y es probable que cualquier lector —suponiendo que estas páginas tengan un lector— haya descubierto de qué se trata.

De todos modos no hay ningún misterio en esto. Ya lo anticipé desde la primera página: yo me encontré con Estanislao Van Hutten y hablé durante muchas noches con él. Lo que sólo puede significar que el arqueólogo estaba vivo y que la tumba de la cumbre era una farsa.

Eso es lo que supe bruscamente durante la noche, sin saber que lo sabía. De haber tenido menos sueño, tal vez habría alcanzado a razonar esa certeza.

Esa noche soñé. En alguna parte he leído que la mejor manera de desalentar al lector es contarle un sueño, de modo que seré muy breve. Soñé que me caía en el estanque de los gansos y que el doctor Golo me tiraba una trenza. No una soga o una cuerda, una trenza de mujer.

CAPÍTULO SEIS
El cementerio en la cumbre

Estaba sentada, sola, en una de las mesas más cercanas a la puerta, lo que naturalmente contribuyó a que no la viera de inmediato.

Entré y recorrí las mesas con la mirada. El doctor Golo no se veía por ninguna parte, y creo que sólo en ese momento reparé en el hecho de que, si el cementerio de la cumbre estaba a cien metros de altura, iba a resultar bastante difícil que mi octogenario amigo me guiara hasta allá. El cafecito húngaro era realmente húngaro; nunca había conocido otro pero esos manteles bordados, esos pequeños candelabros sobre las mesas, esos sobrerrelieves circulares de caoba con finas cabezas de perro, colgados de las paredes, esa vaga penumbra en plena tarde, no podían ser más que húngaros. Me pareció oír un violín remoto, una melodía de Bartók, pero pensé que era un Bartók imaginario, una personal contribución mía al decorado. Después comprobé que no; detrás del mostrador, giraba un antiguo tocadiscos Winco, uno de esos melancólicos artefactos de otro mundo que las ciudades han confinado a los desvanes, a las casas de compraventa. Momento en que yo estaba sentado frente a la chica de los gansos: también yo debía estar sobreoxigenado, porque, de pronto, en el instante mismo de reconocerla, me encontré sentado frente ella. Fue tan inesperado, al menos para mí, que estuve a punto de pedirle disculpas y levantarme de la silla.

La chica alzó los ojos sin el menor asombro, sonrió, y resolvió nuestro problema inmediato.

–Hola –dijo.

Había muy pocas mesas, casi todas ocupadas por parejas que me parecieron muy jóvenes, por lo menos mucho más jóvenes que las del comedor de mi hotel. Hablaban en voz baja, hacían cosas con los dedos del otro, escribían misteriosos papelitos y los ocultaban con la mano. Seguramente tomaban leche de cabra. Nadie desenfundó una navaja y quiso degollarme, nadie blandió una cadena ni se clavó una jeringa en la vena femoral. Estaba pensando que tal vez la adolescencia es posible aun con un escaso nivel de heroína en la sangre cuando sentí dos cosas. Que ése era un pensamiento incomunicable, incluso en aquel cafecito, y que, pese a todo, yo debía conversar de algo.

–Qué tal –dije.

La chica no me contestó. Se limitó a hacer un gesto casi invisible con el hombro, sin dejar de mirarme. Tal vez esperaba algo mejor de mí, o no esperaba nada. Pensé que podía preguntarle si le gustaba Bartók, pero una voz interior me dijo que, aunque estuviéramos realmente en Hungría, aquélla no era la pregunta adecuada. Claro que tampoco era posible intentar por el lado del rock. Fuera de que mi última noticia sobre esa materia se remontaba al fenómeno de Los Beatles, yo habría podido jurar que esa chica, si oyó música bailable alguna vez, la oyó mientras bailaba una mazurca. Entonces, qué. Tal vez preguntarle si desde mucho tiempo atrás le interesaban las aves acuáticas. Por fortuna, la opulenta señora sonriente que hacía de mozo llegó a nuestra mesa y me dijo si iba a tomar algo. Con inexplicable y súbito malhumor, decidí que lo mejor era comportarse con naturalidad y pedí una ginebra. Creí percibir, frente a mí, un leve fruncimiento de cejas.

—La leche de cabra me descompone —dije en voz baja, sin la menor intención de compartir el chiste con nadie.

Entonces la chica se llevó las manos a la boca, agachó la cabeza y se rio. Se reía de verdad, yo le pregunté de qué se reía y ella seguía riéndose. Cuando pudo volver a hablar, contestó:

—Me río de lo que dijo.

Siempre he tenido la sospecha de que los años no traen ninguna sabiduría, no respecto de las mujeres, y la risa de esa criatura me daba la razón una vez más. No me detendré a explicar el significado de estas palabras ni qué había comenzado a pasar en aquella mesa.

—Ayer a la tarde estabas en el puente —dije.

—Sí —dijo ella—. Yo también lo vi a usted.

Me trataba de usted. Unos años atrás me hubiera parecido un mal comienzo, ahora se oía tan natural que ya no significaba nada, ni bueno ni malo. Vi que no llevaba el pelo suelto, como la tarde anterior, sino recogido sobre la nuca en una trenza circular. Tenía puesta una blusa bordada con pequeñas flores. Los ojos azules no me gustan mucho, así que no me parece que tuviera ojos azules. Fue ella la que volvió a hablar.

—Ahora no es lo mismo —dijo.

—Qué cosa no es lo mismo.

—Que usted esté conversando conmigo. Ayer, en el puente, hubiera sido... real. Ahora está acá por lo que le dijo el tío Golo.

—El *tío* Golo. ¿El doctor Golo es tu tío?

No era posible. El doctor Golo confesaba tener ochenta años. Los tíos son hermanos de padres y madres. Esta chica no podía tener padres octogenarios. No había terminado de pensarlo cuando mi demonio interior hizo un cálculo aplastante. Si yo tuviera una hija nacida en este momento, dentro de veinte años esa chica tendría un padre, no tan viejo como el doctor Golo, pero, de todos modos, un viejo padre de setenta años, quien podría perfectamente ser hermano de cualquier octogenario. Menos mal que la húngara llegó con la ginebra.

—Siempre lo llamé así —dijo la chica—. Era amigo de mi tío Stan. Ellos y Hannah me criaron.

—Stan.

La chica no me miraba. Entonces hizo la pregunta que yo estaba esperando. La misma pregunta que me había hecho Vladslac.

—A qué vino usted —dijo.

Ya he dicho que esperaba la pregunta. Lo que ni yo mismo esperaba fue mi respuesta.

—Te voy a contestar —dije—. Esa pregunta y todas las que quieras. No sé a qué vine, pero te puedo decir *por qué* vine. Vine porque estoy de vacaciones. Vine porque me separé de mi mujer. Vine porque desde hace diez años me da lo mismo cualquier lugar, a condición de no conocer a nadie. No pongas cara de alarmada. Vos hiciste la pregunta y ahora me escuchás. Vine porque mi vida carece de sentido. Siempre imaginé que un tipo como yo estaba destinado a hacer grandes cosas, y un día, como dice tu tío Golo, me desperté de golpe y vi en el espejo la cara de un antiguo señor que había perdido por completo las ganas de vivir. No sé qué te mandaron a averiguar de mí, pero puedo contestarte otras cuántas preguntas. No me interesan las intrigas. Ni los esenios. Ni los rollos del Mar Muerto. Ni Estanislao Van Hutten. No me interesan ni sé por qué tendrían que interesarme. Y de paso te digo algo más. Soy exactamente la clase de tipo capaz de imaginar que, en un lugar como éste, es posible encontrar, sobre el puente de una hoya, una chica que habla con los gansos, y sentir que sólo por eso valía la pena haber venido. Lo que me resulta un poco duro de imaginar es que te hayan mandado a espiarme.

—Yo se los dije.

—Qué les dijiste, a quiénes.

—Les dije que usted no era lo que ellos creen.

—Y qué es lo que creen.

—No sé. Un periodista, o algo peor. —Tenía la mirada fija en el mantel. —Alguien interesado en el tío Stan.

—Entonces, es cierto: te mandaron a espiarme.

La chica alzó los ojos y habló con perfecta naturalidad:

—Ahora sí, ayer no. Ayer el tío Golo me dijo solamente que fuera al puente de Lisa y que simulara no verlo.

—¿A mí?

—A él. Yo no sabía que iba a estar usted.

No tuve más remedio que creerle. Era imposible que ella supiera dónde estaría yo la tarde anterior. Unos minutos antes de llegar a la hostería de Frau Lisa, ni yo mismo imaginaba que iría a parar allí. Lo que me hubiese gustado saber es cómo lo adivinó él.

—¿Y eso no te pareció raro?

—Raro qué.

—Lo que el doctor Golo te pidió. Que simularas no verlo.

—No, por qué. Desde que yo era muy chica todos nosotros hacemos cosas así. Vladslac, tío Golo, Hannah. Yo creía que era un juego. A veces Hannah era mi mamá, a veces mi tía, a veces Stan era un señor desconocido que me decía qué linda nena, estás perdida, y me daba un papel que yo debía dejar en alguna parte.

El doctor Golo y mi hotelero alemán ya me lo habían anticipado. En aquel refugio alpino de arte *naif* no todo eran cascadas en miniatura y hoyas con gansos. Tal vez me había equivocado al elegir el lugar de mis vacaciones.

—Qué otras cosas hacían.

—Aprender rápido el idioma del país al que llegábamos. El idioma y el acento.

—Cuántos idiomas conocés.

—No muchos. Seis o siete.

—Empiezo a creer que ustedes son gente peligrosa. ¿Cómo te llamás? Si es posible, tu nombre verdadero.

—Christiane.

—Con ce hache.

—Sí.

—Empiezo a creer, Christiane, que todos ustedes son gente bastante peligrosa.

La chica desvió la mirada e hizo una pausa.

—Nosotros no —dijo finalmente—. Ellos.

La primera vez que se tomaba tiempo para contestar. Sin embargo, no me pareció que hubiera calculado la respuesta: era otra cosa. Cuando volvió a mirarme, sentí que yo la había herido.

—Quiénes son ellos.

—No sabemos. Nadie lo sabe.

La impresión de candor y sinceridad que causaba esa chica era alarmante. O no sabía decir más que la verdad o era una actriz notable, una actriz especialmente adiestrada para ganarse la confianza de tipos como yo. De todas maneras, candorosa o no, era evidente que en su vida había hecho algo más que bailar mazurcas. Como también era evidente que, de un modo tal vez inesperado, había conseguido averiguar unas cuantas cosas de mí. Por puro espíritu de contradicción, pregunté:

—Y cómo podés estar tan segura de que yo no soy un emisario de *ellos*.

—Hace un momento creí que estaba segura. Ahora no sé.

—Me rindo —dije—. Podés llevarme al cementerio.

—Para qué.

—Para ver la tumba de Van Hutten. Tu tío Golo me citó en este café para eso. En realidad, no me citó para eso, sino para yo diera una prueba de lo que él llama la juventud del alma.

—Ya lo sé.

—Sí, también me lo figuraba. Vamos.

Me puse de pie pero ella no se movió de su silla. Me miraba y se reía. Yo le pedí que compartiera su alegría conmigo. Ella dijo.

—Se olvida de pagar.

Llamé a la húngara y pagué. Mientras subíamos hacia el cementerio de la cumbre seguramente terminé de contarle el resto de mi vida.

El ascenso duró casi una hora. En algún momento nos detuvimos en una saliente de la sierra. Ella me mostró una gran piedra, casi al borde de lo que, sin ninguna exageración, podría llamarse un pequeño precipicio. Me acerqué. No sé si es decente confesar que, mientras lo hacía, alcancé a pensar que la chica iba a darme un empujón.

—Qué es lo que tengo que mirar.

—Lo que está dibujado ahí. ¿Sabe qué es?

Vi una especie de flecha, grabada profundamente en la piedra.

—Una flecha.

—Sí, y también una letra. Una letra sumeria. Se llama Ti. Más que una letra es una palabra. Es el símbolo de la vida.

—Cómo sabés una cosa semejante.

—Tío Stan la dibujó para mí, la primera vez que vinimos.

—¿Puedo hacerte una pregunta?

—Sí.

—De qué hablás con tus contemporáneos. Me refiero a los muchachos de tu edad.

La chica tenía los ojos bajos. Hizo una pausa.

—No conozco a muchos.

De pronto, por algún motivo, era bastante difícil continuar con aquella conversación, de modo que seguimos subiendo en silencio. Si esto fuera una película, pensé, ahora estallaría una tormenta. Nos refugiaríamos en una gruta o en un pajar. Claro que en esa película yo debería tener veinte años menos.

—Ahí está —dijo la chica.

El camino, que hasta ahora había sido piedra pura, terminaba abruptamente en la explanada de una meseta cubierta de pinos y cipreses. El cementerio, circundado por una verja de fierro, ocupaba un pequeño sector de la explanada y se entraba en él por una puerta, también de verja, sobre la que en ese momento cantaba un pájaro de pecho rojo, que no se echó a volar hasta que casi estuvimos junto a él. El suelo estaba cubierto de hojas doradas. Había unos cuantos bancos de piedra, dispuestos como para el reposo de los vivos, no de los muertos. Vi las dos estrellas de David de las que me había hablado Vladslac. Vi una cruz que decía: *Stabit Crux Dum Volvitur Orbis*. Vi una cruz dentro de una rueda. Vi una lápida que tenía una sola fecha, como si los días que hay entre el nacimiento y la muerte fueran un dato o una vanidad inútiles. Pero sobre todo vi árboles y oí ese silencio rumoroso y sonoro que está hecho de pájaros y de hojas. No era un cementerio sino un parque secreto. Ni siquiera las estelas funerarias recordaban la muerte.

—Dónde está él —pregunté.

No me atreví a pronunciar la palabra tumba.

—Allá —dijo.

Bajamos un desnivel y vi la sepultura.

Estanislao Van Hutten, decía. *Montevideo 1901. La Cumbrecita 1975.*

Y comprendí lo que de algún modo sabía desde la noche anterior.

—Esta tumba es una farsa —dije. La chica no dio ninguna muestra de sorprenderse—. El libro firmado que yo encontré en el hotel fue editado en Stuttgart, en 1976.

—Sí. Él también se dio cuenta, ayer.

—Qué es todo este misterio.

—Vuelva a Buenos Aires —dijo la chica—. Déjenos.

—Me parece que ahora es un poco tarde –dije yo–. O un poco temprano, según se lo mire.

Mientras hablaba hice algo que me sorprendió. Me agaché para cortar una flor y la dejé sobre la tumba. Entonces oí a mi espalda una voz, que no era la de la chica, y una risa poderosa y profunda, que no era en absoluto el tipo de sonido que uno esperaría oír en un lugar como aquél.

—Ése fue un hermoso gesto –dijo la voz de Van Hutten–. Gracias.

Naturalmente no necesitaba haberlas oído antes para saber que aquéllas eran su voz y su risa. Como tampoco necesitaba haber mirado nunca su cara para reconocerlo. Quiero decir que me limito a contar las cosas tal como sucedieron, sin el menor ánimo de producir ningún efecto inesperado. Como muchas veces pude comprobar más tarde, era Van Hutten quien tenía una predisposición natural a los efectos más o menos teatrales. Su misma apariencia era espectacular. Debía de medir más de un metro ochenta y, a pesar de su edad, parecía estar tallado, no en piedra, como suele decirse, sino en una madera durísima. Llevaba borceguíes de explorador, camisa leñadora y un chaleco de innumerables bolsillos. Parecía no haber hecho en su vida otra cosa que andar a la intemperie. Las arrugas verticales de su entrecejo, casi como cicatrices, le daban sin embargo un aspecto reflexivo y por alguna razón intimidante. Colgada de un cordón negro, llevaba sobre el pecho una cruz de fierro. No un crucifijo, sino una cruz.

—Me parece que merezco alguna explicación –dije.

—No sé si la merece –dijo riendo Van Hutten–. Eso lo veremos más tarde. Pero desde luego la tendrá. Bajemos. No, por el camino de cornisa no. Eso es para la edad de Christiane. Usted venga conmigo por acá.

Pude ver una pequeña puerta, una especie de mínima tranquera semioculta entre unos arbustos, que se abría hacia los matorrales de la cuesta. Un camino de regreso mucho más directo y escondido que el que habíamos hecho con Christiane al subir. Había una escalinata de piedra, que llegaba a los fondos arbolados de la casa de Van Hutten.

—Ese que se ve allá abajo es el camino principal —dijo el arqueólogo—. Este otro da a los bungalows y a las canchas de tenis de su hotel. Pasa exactamente junto a la terraza de su cuarto. Pero no se lo aconsejo de noche.

Yo dije que no estaba seguro de orientarme en un lugar así, ni siquiera de día.

—Yo lo acompaño un trecho, no se preocupe.

Vi entre los árboles la silueta de una mujer que, a la distancia, no parecía mucho mayor que Christiane. No se nos acercó.

—Hannah —dijo Van Hutten—. Mi mujer. Usted ya la conoce, era la hermosa dama solitaria que la primera noche lo vigilaba desde un espejo.

Capítulo siete
El camino de la encina

—No creo en el azar —dijo Van Hutten mientras caminábamos entre matorrales y macizos de campanillas. Yo veía su espalda y no podía hacerme a la idea de que ese hombre tuviera ochenta y dos años. Era como si las matas y las flores se apartaran para darle paso. —La gente llama azar a lo que no es sino una serie de causas secretas, que los antiguos nombraban destino. Usted juega al ajedrez, me han dicho. Imagine lo que sentiría si fuera un caballo de ajedrez y pudiera preguntarse qué significa su posición actual en el tablero... —El camino, cada tanto, se quebraba en una pendiente y bajábamos en silencio. Los pesados borceguíes del arqueólogo se adaptaban a las irregularidades del sendero con una seguridad que me hacía sentir anciano. Dos o tres veces, oyéndome tropezar, se había dado vuelta como para auxiliarme. Se detuvo y me miró. Su cara sí estaba marcada por el tiempo, sólo que de un modo casi mineral, como se agrieta la corteza de un árbol. —Que usted haya venido a La Cumbrecita, que, por la razón que sea, haya encontrado mi libro sobre los esenios en la biblioteca del hotel, que yo haya firmado ese libro sin pensar que se trataba de una edición posterior a mi muerte para el mundo, y sobre todo que hace veinticinco años, usted... –Van Hutten hizo una pausa. Tuve la impresión de que lo que agregó de inmediato no era lo que pensaba decir. –...Que usted, hace veinticinco o treinta años, oyera hablar de mí, de las cuevas del Qumran, de los esenios... todo eso forma necesariamente un dibujo. Sólo que hay que saber mirarlo. ¿Christiane le mostró la letra Ti? –El arqueólogo siguió caminado sin darme tiempo a contestar. –Christiane ama esa letra, yo se la dibujé. Nunca comprendí qué ve exactamente en ella. ¿Usted sabe, señor de la ciudad, lo que significa esa pequeña flecha? No me diga, por favor, que es el símbolo de la vida, eso lo oyó hace media hora... –Seguimos bajando, otra vez en silencio, y llegamos a una explanada. –Ese dibujo fue la clave, usted diría casual, que permitió descifrar el misterio de un mundo que se creía perdido. Probó la existencia de la civilización más antigua que conocemos. Los sumerios.

Van Hutten apoyó la espalda en un árbol y no agregó una palabra. Si yo esperaba algo más, estaba equivocado: el arqueólogo había terminado para siempre con su ejemplo sobre la inexistencia del azar. Como comprobé muchas veces en los días que siguieron, ese hombre parecía suponer que su pensamiento era perfectamente accesible para los demás. Lo que entonces sentí es que le daba lo mismo hablar conmigo que hablar solo.

Esperé un tiempo prudencial, y me atreví a decir:

–Según usted, era inevitable que nos encontráramos.

–De ninguna manera. Lo ya inevitable es que *nos hayamos* encontrado. Hasta hace unos días, hasta hace unas horas, no tenía nada de inevitable.

—No sé si lo entiendo.

—No tiene ninguna importancia. Usted créame; el azar no existe. Si usted y yo no nos hubiésemos visto nunca, tampoco eso sería una casualidad. Sería el único resultado posible de una serie de hechos fatales. Usted y yo estamos conversando ahora, junto a este árbol. Eso es lo ya inevitable. —Sacó de su pantalón de lona un reloj sujeto a una argolla del cinturón por una trenza de cuero y consultó la hora. —No se me olvide de este árbol. Es una encina, no hay otra por acá. En esa tranquerita empieza el camino que lo lleva directamente a su hotel. Desde este lugar, no hay modo de perderse.

O dicho de otra manera: que mi primer encuentro con Estanislao Van Hutten había terminado.

—Eso quiere decir que no va a explicarme nada.

—No ahora.

El arqueólogo señaló algo sobre mi cabeza. Me volví. Sobre las sierras, vi un tumulto de nubes atravesadas en todas direcciones por el sol que se volcaba hacia la noche, como un cataclismo silencioso. Ésa parecía ser la razón de su respuesta. Lo miré sin entender.

—Que de un momento a otro, señor, va a atardecer en La Cumbrecita, y no pienso profanar ese espectáculo con palabras.

CAPÍTULO OCHO
El tao llamado tao

—Yo sí creo en el azar —dijo el doctor Golo la noche siguiente. Él y Van Hutten habían aparecido en el bar del hotel, después de la cena, y ahora caminábamos los tres bajo los árboles de la calle principal, en dirección a la hoya de los gansos. —Lo que la gente llama destino —dijo el doctor Golo— no es sino una hilera de disparates, que los antiguos llamaban misterio de la vida. Usted juega al ajedrez, lo he visto. Imagine qué sentiría si fuera un caballo de ajedrez y viniera yo y le pateara el tablero y usted pudiera preguntarse qué significa su posición actual debajo de la mesa. Que usted haya venido a suicidarse a La Cumbrecita, que, por la razón que sea, haya tomado el libro de Stan sobre los esenios, que este hombre distraído, aunque sabio, le haya firmado ese libro a un hotelero, sin pensar que los arqueólogos de Dios no deberían andar dedicando libros como poetas vanidosos, sobre todo si están muertos, y que desde hace treinta años usted ande obsesionado con el cristianismo, déjeme terminar, todo eso es necesariamente un desorden. —El doctor Golo se detuvo, levantó la cabeza y, cerrando los ojos, olió repetidamente el aire de la noche. —Sólo que también hay que saber interpretarlo.

Van Hutten no dijo una palabra. Caminaba con las manos a la espalda, mirando el suelo, y de tanto en tanto, meneaba lentamente la cabeza. Yo pensé que al fin de cuentas estaba de vacaciones y dije:

—Según usted, entonces, es casual que nos hayamos encontrado.

—De ninguna manera. En un orden caótico, lo absurdo es inevitable.

Me reí. Pese a la sombra un poco intimidante de Van Hutten, que caminaba en silencio al borde del camino, no tuve más remedio que reírme.

—En eso estamos de acuerdo —dije.

—¿De qué se ríe? —dijo el doctor Golo—. El azar no sabe lo que hace. Si un individuo como usted y el profesor no se hubieran conocido, eso sí que habría sido una casualidad.

En ese momento, el arqueólogo habló por primera vez:

—Pero ahora caminamos juntos, bajo estos árboles, y ya no hay tu tía.

—¿Cómo?

Van Hutten, si es que realmente había hablado, pareció no oír mi pregunta.

—No hay tu tía —dijo el doctor Golo—. Es un giro rioplatense. No me va a decir que nunca oyó el giro no hay tu tía.

—Claro que sí. Sólo me sorprendió.

—Si eso lo sorprende en un uruguayo —dijo el doctor Golo—, qué va a pasarle cuando yo le diga que ese hombre pensativo puede articular las palabras no hay tu tía en unas treinta lenguas, pero que en ninguna de ellas, óigame bien, en ninguna significa lo que usted entiende cuando oye el *sonido* no–hay–tu–tía. Yo creo que es cierto, el español es la lengua de los ángeles. Diga: li.

—Li.

—Usted, pronunciación al margen, acaba de proferir un sonido que en chino tiene ciento treinta y ocho significados; que, en dialecto mandarín, admite además cuatro tonos distintos y, en el sur de China, ocho. Diga: tao k'o tao.

Volví a pensar que estaba de vacaciones. Tal vez estos dos viejos estuvieran locos, pero seguirles la corriente no era peor que jugar al ajedrez a solas.

—Tao cotao —dije.

—No: tao k'o tao.

Yo lo intenté. El doctor Golo dijo:

—Usted está dotado más bien para el birmano. Preste atención: si yo intentara traducirle razonablemente al inglés ese enigmático verso del *Tao te king*, que es lo que usted ha dicho en lacónico y musical idioma chino, debería articular algo así como: *The Tao that can be trodden*. O menos metafóricamente: *The Tao which can be tao-ed*. En italiano, y corríjame si pronuncio mal, usted que es argentino: *Il Tao di cui si puo parlare*, o, tal vez: *Il Principio che potesse essere enunziatto*. En alemán ya lo ha hecho, en un rapto de locura, un finado amigo sinólogo... ¿Usted sabe alemán? ... ¿No? De cualquier modo no importa, oiga esto: *Im Tao* —acá el doctor Golo hizo una pausa y, con sus pequeñas manos, dibujó en el aire de la noche un paréntesis—, *dem Weg des Weltalls* —otra pausa, el paréntesis había terminado—, *sollt ihr wandeln.* ¡Qué me dice! —En este momento, Van Hutten, que caminaba un poco apartado, lanzó una carcajada que ocasionó, podía jurarlo, un perceptible revuelo de pájaros sobresaltados

en las ramas de los árboles–. *Im!* –repitió el doctor Golo–. Y no sólo *Im.* Por si fuera poco: *dem Weg des Weltalls.* ¿Sabe alemán o no?

–No –dije.

–Bueno, yo tengo que hacer un mandado y ustedes caminan muy despacio porque son altos. Los dejo,
nos vemos en la hoya. Que el profesor Van Hutten le
siga explicando.

Y el doctor Golo, como si se disipara en el aire,
desapareció a toda velocidad entre las sombras de los
pinos.

Van Hutten se acercó a mí.

–Lo que él le quiso decir –la voz grave del arqueólogo, oída en la oscuridad, contrastaba de tal modo
con la del doctor Golo que sentí un estremecimiento–,
es que el humilde *tao k'o tao,* como si dijéramos *el Tao
llamado Tao,* se ha convertido, en alemán, en una orden prusiana, en un decreto sobre la circulación vial
del universo. Quiso decir que *no hay tu tía,* que es la fatalidad, y *tao k'o tao,* que es el nombre de lo innombra-
ble, no admiten ninguna traducción. –El arqueólogo
hizo un silencio. –La pregunta implícita, querido señor, es la siguiente: ¿si usted no sabe alemán, qué hacía
con un libro mío, escrito enteramente en alemán, sobre la secta de los esenios?

No tuve tiempo de sorprenderme porque, para
decirlo con sinceridad, me sentí agredido. Tuve la certeza de que toda esta gente, Van Hutten, el doctor Golo, la misma Christiane, se estaban burlando de mí.

Me detuve.

–Qué le pasa –dijo Van Hutten.

–No sé si le va a gustar oírlo, profesor.

Van Hutten también parecía muy serio.

—Inténtelo.

—Creo que usted me desagrada, Van Hutten. De pronto siento que casi ninguno de ustedes me gusta en absoluto.

—Casi ninguno... Nunca pronuncie irreflexivamente un adverbio en presencia de un filólogo... Pero si no es más que eso, sigamos caminando. Ya le voy a gustar, le voy a gustar hasta el fanatismo. Debo entender que está molesto conmigo.

—Sí —dije secamente.

—Bueno —dijo con otra voz Van Hutten—, no lo culpo. Yo no le gusto pero usted me gusta a mí. Hagamos las paces. Qué es lo que necesita saber.

—Nada. Lo vengo repitiendo desde que llegué.

—*Cuando llegó* no necesitaba saber nada. Y yo le creo, de manera que le voy contar todo. O casi todo. Pero antes debo hacerle una advertencia. Usted se ha metido en un problema. Para decirlo sin frivolidad: en un asunto demasiado peligroso. Usted mismo ahora es peligroso. Peligroso para mí, para Hannah, para Christiane, para Vladslac, para Golobjubov.

—¿Quién?

El arqueólogo me tomó del brazo y seguimos caminado.

—Lev Nicolaievich Golobjubov, muerto en Palestina en 1975 y a quien usted conoce, perfectamente vivo, como doctor o tío Golo. Si me excluyo, la autoridad filológica más grande que usted ha conocido en lo que atañe a literaturas semíticas. Puede hablar el arameo de la época de Jesús como si viniera de pescar en el lago Tiberíades con san Pedro. Él me enseñó súmero. ¿Sabe lo que es la Estela de las Aguilas? Es una piedra de basalto, una piedra funeraria: él la descifró por divertirse y la tradujo al lituano y al vasco. Tiene un humor extravagante. Usted le gusta porque juega al ajedrez solo; Lev únicamente admite el ejercicio inútil de la inteligencia. También fue médico, en Moscú. Toxicólogo. Si alguna vez usted oyó hablar del doctor que se hacía llamar Joseph Landowski, tal vez le diga algo el hecho de que, en su juventud, Lev Nicolaievich trabajó con este siniestro personaje. Confórmese con esto: Golo preparó con Landowski la fórmula que borró para siempre de este mundo al famoso y satánico camarada Iéjov, jefe de la Cheka en la época de Stalin. Esa muerte lo convirtió al cristianismo. Yo lo conocí en una excavación, en Lituania. Buscábamos un manuscrito de la *Canción de las Huestes de Igor* y encontramos un arcón. No importa qué había adentro ni sé si usted podría calcular lo que significaba ese hallazgo, traducido a valor dólar. Hacia el final de... ¿Lo aburro?

–No. Siga.

–Hacia el final de la Segunda Guerra, Lev Nicolaievich vivía en la embajada soviética, en Buenos Aires, traduciendo sosegadamente el *Gilgamesh*, rezando en secreto y administrando el contenido del arcón, que, dicho sea de paso, nos sirvió para sacar de Alemania nazi a unos cuantos opositores a Hitler. Entre ellos, el conde Holstein, su elegante hotelero parecido a Hermann Hesse. En 1945 yo estaba en Nag Hammadi, de allí bajé a Palestina. Cerca de Jericó, descubrí algo... Lev me dijo que usted conocía mi polémica con los mamarrachos de Roma. Me refiero a mi libro sobre las murallas de Jericó.

–Sí, lo leí. Hace mucho tiempo.

–Qué le pareció.

Yo había leído ese libro cuando tenía dieciocho

años. Me recordaba a mí mismo leyéndolo sobresaltado. Recordaba la belleza de su prosa y la contundencia casi blasfema de sus ideas. Esta noche yo seguía bastante molesto con el arqueólogo, pero, aunque en voz baja, no tuve más remedio que decirle la verdad.

—Siempre admiré ese libro.

El viejo soltó una carcajada.

—Por favor. Ese libro fue una cortina de humo, ese libro y la excavación de Jericó fueron una broma gigantesca... —Mientras el viejo reía, en un pueblo, en alguna madrugada de mi memoria, un adolescente fervoroso de ojos agrandados se diluyó como un fantasma. —Pero no se me ofenda otra vez —dijo el arqueólogo—; al fin de cuentas el libro lo escribí yo. —Me puso la mano sobre el hombro; cuando volvió a hablar lo hizo con mucha seriedad.— Los acantilados del norte del Mar Muerto, las cuevas del Qumran, están a unos doce kilómetros de la meseta de Jericó... y, por ciertas razones que no le voy a explicar ahora, era necesario que yo estuviera cerca del Qumran... En este punto empieza la historia que le interesó a usted en su juventud y que, desde hace unos días, ha vuelto a interesarle.

—Por qué me cuenta todo esto.

—Porque no creo en el azar. Y usted ha empezado a cumplir un determinado papel en esta segunda parte de nuestra historia.

Supongo que, si el arqueólogo pronunció exactamente estas palabras, debí preguntarle qué tenía que ver yo con lo que él había llamado nuestra historia, pero soy ese tipo de personas que no entienden las cosas hasta que las recuerdan.

—Qué piensa de los rollos del Mar Muerto –dijo el arqueólogo. Ése era el momento para dar por terminado todo este asunto y volverme a mi hotel. Sin embargo me encontré repitiendo lo que ya le había dicho dos días atrás al doctor Golo. El beduino. La cabra perdida cerca de los acantilados. La cueva con sus vasijas de dos mil años. Los rollos. Van Hutten me interrumpió.

—Le pregunté *qué* piensa, no cuánto sabe.

—Como la mayoría de las personas, profesor, no suelo pensar en los rollos del Mar Muerto.

Van Hutten no se dio por enterado de mi ironía.

—Los primeros rollos no se descubrieron en la primavera de 1947, eso para empezar. Fueron descubiertos mucho antes. Los beduinos entraban en las cuevas y con el cuero de los rollos se remendaban los zapatos. Nadie se preocupó por los manuscritos hasta que empezaron a significar dinero. Textos sagrados de dos milenios de antigüedad. Textos originales, no copias tardías. Textos escritos para ser leídos por todos los hombres... Una pandilla de falsos eruditos, curas sacrílegos, militares judíos y profesores mafiosos, ejerce sobre esos documentos, desde hace más de treinta años, un control absoluto. Venga, cortemos camino por acá.

Unos minutos después llegábamos a la hoya. Enfrente, se veían las luces de la hostería. De este lado, bajo los árboles, vi el auto de Vladslac.

—Ese es el taxi del húngaro –dije.

—Sí –dijo Van Hutten–. Por qué.

—Tengo la impresión de que lo veo en todas partes. Quién es ese hombre.

—Mi ángel guardián –dijo el arqueólogo–. No hay muchas maneras de llegar a La Cumbrecita sin subirse al taxi de Vladslac. Hace un momento le hablé de mi libro sobre Jericó. Todas las ideas laicas de ese libro, el sistema de palancas que utilizó Josué, la zapa de los cimientos, el derrumbe de los muros, son de Vladslac. Es arquitecto. Supongo que imagina la importancia de un arquitecto en una excavación.

—¿Arquitecto?

—Un gran arquitecto. ¿Qué hace un gran arquitecto en un lugar perdido como éste, donde nadie construye casas? Esta región de cuento de hadas, imagino que lo sabe, fue también una especie de Tercer Reich en miniatura. La mujer de Vladslac era judía y murió en un campo de concentración. No me gustaría ser alemán y tener cierto tipo de pasado si Vladslac anda cerca.

—Quiere decir...

—Vladslac espera encontrar a alguien. No lo busca: sólo espera encontrarlo. Tiene una certeza que le permite vivir. Está seguro de que en la Argentina hay un hombre, a quien él conoce, que algún día vendrá a visitar La Cumbrecita. Tal vez sea una ilusión, pero es bastante más de lo que tiene otra gente. Es su guerra, no la mía. ¿Quiere saber algo más?

—Sí —dije sin pensar—. Desde ayer quiero hacerle una pregunta.

—Hágala.

Habíamos llegado al puente de madera. Como una gran mancha blanca, inmóvil, un grupo de gansos dormía en un recodo del arroyo. La serenidad de la noche era tan perfecta que las ventanas iluminadas de la hostería y los faroles del parque, duplicados en el agua, daban la impresión de un paisaje invertido que sostuviera al real desde el fondo oscuro de la hoya. La ilusión duró un instante: un ganso solitario derivó hacia el grupo dormido y la imagen se deshizo como si un espejo temblara.

—Por qué se esconde —dije—. Por qué simula estar muerto.

El arqueólogo me miró unos segundos.

—Crucemos. Prefiero conversar sentado.

Estábamos por entrar en la hostería, cuando, abrochándose el pantalón, reapareció entre los árboles una silueta inconfundible.

—*Ibant obscuri sola sub nocte per umbras!* —dijo el doctor Golo—. Qué manera de tardar. Los espero ahí adentro hasta asustarme, salgo a hacer pis en la enramada y, menos mal, los veo. Creí que alguno de los dos había asesinado al otro por razones religiosas. No sé de qué hablaban, pero le prevengo algo, señor. Stan no suele medir sus palabras. Si le oye decir que los dominicos son satánicos, los rabinos monos que cuentan palabras, el Vaticano un sepulcro blanqueado, usted mire hacia otra parte. Es raro que un filólogo tenga tanta pasión por los adjetivos monumentales, claro que Nietzsche también era filólogo y nos asestó a Zarathustra. Me presento por fin. Lev Nicolaievich Golobjubov, a sus órdenes. Fuera de un ruso, nadie puede articular mi apellido con la debida música, de modo que usted siga llamándome doctor Golo. Nunca me diga Lev, sería irrespetuoso. Cuando oigo Lev, yo entiendo León, y siento que me están haciendo una broma pesada. Mido uno sesenta y soy casi perfectamente redondo. De qué hablaban.

—Del pasado —dijo Van Hutten.

—Lo siento por nuestro amigo: ahora no puede salir vivo de La Cumbrecita. Era una broma —me dijo y siguió hablando con el arqueólogo en un idioma que no se parecía a nada que yo hubiera oído antes. Van Hutten le contestaba calmosamente en la misma lengua.

Entramos en la hostería. El arqueólogo fue hacia el mostrador y habló en voz baja con Frau Lisa. La mujer se dirigió de inmediato a los ocupantes de la única mesa que no estaba vacía y, con una gran sonrisa, les dijo que era hora de cerrar. Cuando quedamos solos, trancó la puerta, apagó las luces de afuera y desapareció con Van Hutten en la trastienda.

—Stan le ha tomado simpatía, señor —dijo a mi lado el doctor Golo—. Lo que en cierto modo no deja de empeorar las cosas para usted. Como prueba de buena voluntad, le traduzco nuestro pequeño diálogo copto. Yo le pregunté si usted le parecía lelo. Dijo que no. Le pregunté si eso no era peligroso para nosotros. Dijo que a lo mejor pero que usted no ha venido a buscar nada. Le pregunté si usted era un sensual. Dijo que no sabía, que le parece más bien un aletargado, alguien que hace las cosas dormido, sin saber si son buenas o malas. Le pregunté si ya le había contado lo principal. No dijo ni mu. Le pregunté si iba a cometer la locura de contárselo. ¡Dijo que sí! Entonces, desesperado, le pregunté por qué. Y, ¿sabe lo que me dijo? Que usted le gustaba.

Vi volver a Van Hutten de la trastienda. Traía una botella en la mano y lo acompañaba Vladslac.

—Señor —dijo lacónicamente el húngaro, a manera de saludo.

—Hola —dije, intentando parecer natural—. Usted tenía razón. La Cumbrecita es un lugar muy hermoso.

Él se limitó a asentir con la cabeza. El doctor Golo habló unas palabras con el arqueólogo, en el mismo indescifrable idioma de un momento atrás.

—Empecemos —dijo Van Hutten, sentándose frente a mí.

Cuando aquello terminó yo no sabía mucho más que al principio.

Ha pasado demasiado tiempo como para que pueda repetir con exactitud lo que oí esa noche. Palabras como Nag Hammadi, Khirbet Qumran, esenios, Masadá, rebelión de los zelotes, Wadi el Mujib, Guerra de los Hijos de la Luz contra los Hijos de las Tinieblas, apenas significaban algo más que sonidos para mí. Tal vez, si las hubiera transcrito de inmediato en mi cuarto, como lo hice en los días siguientes, ahora podría rehacerlas a mi modo, pero confieso que esa noche yo estaba menos preocupado por la arqueología bíblica que por establecer la relación que existía entre aquellos tres hombres. Reparé en algo: pese al respeto instintivo que imponía Van Hutten, el doctor Golo lo tuteaba, lo interrumpía y hasta lo contradecía. Van Hutten, en cambio, lo trataba de usted, como también trataba de usted al húngaro, quien aparentaba ser veinte años menor que cualquiera de los dos. Más tarde pude constatar que ese tratamiento menos ceremonioso que distante era natural en Van Hutten. Excepción hecha de Hannah, su mujer, no lo oí tutear a nadie, ni siquiera a Christiane.

Vladslac me acercó en su auto hasta mi hotel. El arqueólogo y Golo prefirieron caminar.

—¿Quiere conversar? —me preguntó el húngaro.

Su voz era cordial. Yo recordé mi primer viaje en ese auto y me reí.

—No, esta noche no.

—¿Le gustan las casitas del tiempo?

—¿Las casitas del tiempo?

—Esas casas alpinas de juguete, con una mujercita que sale a la puerta cuando el día es bueno, y un pequeño tirolés que sale cuando llueve.

—Sí —dije.

El húngaro hizo un aprobatorio movimiento de cabeza y ya no volvió a hablar hasta que llegamos al parque del hotel.

Capítulo nueve
Detalles

En los días siguientes visité la cascada, la capilla, volví a la hostería de la hoya. Pude comprobar unas cuantas cosas. La gente parecía más afable conmigo. Sonrisas en el comedor, una mesa junto a la ventana. Holstein me ofreció, en perfecto castellano, las llaves de la biblioteca para que entrara allí a la hora que quisiera.

No volví a ver a Christiane. Debo reconocer que mis visitas a la hoya de los gansos respondían al secreto propósito de cruzármela.

Capítulo diez
La casa en la piedra

—Éste es el camino más corto —había dicho Van Hutten, y después agregó: —También es el peor. Los caminos más cortos siempre son los peores. —Habíamos dejado atrás las canchas de tenis y los bungalows y ahora caminábamos entre los árboles por un sendero alto, paralelo a la calle principal, desde el que podían verse las terrazas iluminada del hotel. Se detuvo y me tomó del brazo, pude notar la firmeza de sus dedos. —Si se fija bien, allá arriba brilla una pequeña luz. Desde esta noche, si quiere subir, va a tener que subir solo. No hace falta aclarar que soy un hombre anciano.

Tuve intención de responderle que no parecía en absoluto un hombre anciano, pero dudé de que el arqueólogo apreciara este tipo de cortesía. Sólo dije:

—Hace dos o tres noches le hice una pregunta.

—Sí.

—Que usted no me contestó.

—Insista, pero antes alcánceme ese palo. Es mi caduceo. Las pocas veces que desciendo a este mundo lo dejo contra ese cerco. Qué es lo que no le contesté.

—Por qué se esconde. Por qué simula estar muerto.

—Me escondo por temor. No. —Pensó un momen-

83

to.– No es del todo cierto. En algún tiempo, hace quince o veinte años, me escondía por temor, ahora es un hábito.

–Usted me dijo que descubrió algo.

–Exacto. Descubrí cierto documento, demasiado inquietante para demasiada gente.

Seguimos subiendo en silencio, entre plantas y arbustos sombríos, sólo guiados por la luz intermitente de allá arriba que aparecía y desaparecía entre las ramas.

–Qué descubrió.

–Qué descubrí, usted me pregunta amablemente qué descubrí. Ésa sí que es una buena pregunta.

No agregó una palabra. Quince o veinte minutos después llegamos a una explanada cubierta de árboles. Una especie de parque o bosquecito desde el que podía verse, mirando hacia abajo, la casi totalidad de los hoteles.

–Estamos en mi casa –dijo Van Hutten señalando la cuesta. Y yo tuve la impresión de que se refería a los árboles o al cerro. No vi nada que se pareciera a una casa. –Como las procesiones de los desesperados, esta casa va por dentro. La diseñó Vladslac. Si le dijera en qué se inspiró.

La casa, como pude comprobar después, estaba prácticamente engarzada en la ladera del cerro, oculta entre los árboles y tan mimetizada con la piedra que aún en pleno día se podría haber pasado a unos metros de ella sin advertir su entrada. Carezco de la habilidad de describir, así que no intentaré dar una idea de su construcción: sólo diré que Gaudí no la hubiera desaprobado.

–Descansemos un momento acá afuera –dijo Van Hutten.

Sacó una linterna de su chaleco e iluminó fugazmente un banco de piedra. Nos sentamos. No pude evitar preguntarme por qué no había utilizado esa linterna mientras subíamos. Sentí la mirada de Van Hutten clavada en mi perfil. Después oí su risa.

—Usted se está preguntando por qué subimos a oscuras. Yo también me lo pregunto. Simplemente no se me ocurrió. Estoy acostumbrado a la oscuridad. Hannah siempre dice que no pienso en los demás, y creo que tiene razón. ¿Estaba pensando o no en la linterna?

—Sí –dije–. Pensaba por qué, llevando una linterna en el bolsillo, me hizo seguirlo en la oscuridad.

—Para desorientarlo –dijo.

—Eso imaginé.

—Imaginó mal. Para qué iba a querer desorientarlo, si ya le había señalado el camino. Fue porque no se me ocurrió. O tal vez por tacañería. He vivido obsesionado por la duración de las baterías y las pilas. Deformación profesional –agregó, y yo volví a sentir que sus interlocutores no siempre le interesaban demasiado a este hombre, o los sometía a mínimos tests de inteligencia. He vivido obsesionado por la duración de las baterías y las pilas, había dicho. Lo imaginé tratando de hacer arrancar un jeep en el desierto. Lo imaginé, alumbrando con los últimos vestigios temblorosos de una linterna, un manuscrito o una moneda romana en una cueva–. Lo que además significa –prosiguió Van Hutten– que usted no es tan mal observador como cree.

—Cómo sabe que me creo mal observador.

—Usted piensa que lo es.

—Sí, pero usted cómo lo sabe.

—Me lo confesó usted mismo. Dijo que sería incapaz de orientarse en un lugar como éste. Pero el sentido de la orientación es observación pura. La forma de un árbol, el color de una piedra, la dirección en que corre el agua, la altura del pasto. El sonido, incluso el olor. Por ejemplo, ¿cuántas cosas oye usted en este momento? Enumérelas.

Me resigné.

—Las ranas y los grillos. El rumor de las hojas; de tanto en tanto, algo que parece un búho.

—Muy bien. También debe de oír que mi sobrina está cantando, allá arriba. Una voz como la de Christiane, por tenue que sea, no pasa inadvertida así nomás.

—También la oigo, sí.

—Esta es la segunda vez que, por la negativa, usted demuestra pensar en Christiane. Qué más oye.

—Creo que nada más.

—Quiere decir que ya se acostumbró: no oye la cascada. Oye grillos y canciones pero no oye el rumor de la cascada. Óigalo. Un trueno de fondo, que sólo puede no oírse cuando uno ya se acostumbró a este lugar. Lo va a extrañar, cuando se vaya.

Van Hutten tenía razón en las dos cosas, la cascada se oía como un leve e interminable trueno lejano y yo iba a extrañar ese rumor. Si ésta fuera mi historia, y no la de Van Hutten, debería confesar que ahora mismo lo extraño, mientras escribo en Buenos Aires estas palabras.

—Es cierto —dije—. También oigo la cascada.

—¿De dónde viene el sonido?

—Parece venir de todas partes.

—Huela. La tierra mojada tiene olor, por eso uno puede anticipar la lluvia. Huela. Eso es. Ahora, una ese olor con el sonido del agua. De dónde viene.

—De allá atrás.

—Correcto, del suroeste. Eso, dos o tres nociones astronómicas y una buena brújula suiza, y nunca más se me pierde en La Cumbrecita ni en ningún lugar del mundo. Salvo en una ciudad. Los indicios de la ciudad son otros, pero, en el fondo, funcionan de la misma manera. El nombre de las calles, la fachada de una casa, la numeración de las puertas. —Otra vez sentí en la oscuridad los ojos de Van Hutten clavados en mi cara.

—Qué le pasa.

—Que usted no me trajo hasta acá para hablar del sentido de la orientación.

—Esta vez imaginó bien. ¿Qué antigüedad supone usted que tienen nuestros evangelios?

Ya me estaba acostumbrando a esta manera súbita de preguntar. Supe que podía permitirme cierta elocuencia.

—Casi dos mil años —dije—. Los evangelios sinópticos fueron escritos alrededor del año 70. Uno de ellos, creo que Lucas, es posterior a la destrucción del Templo. El de Juan pudo haber sido escrito en el año cien.

—Y eso es todo. —Las palabras de Van Hutten no estaban formuladas como pregunta, eran una afirmación irónica—. Qué clase de historiador es usted, dígame un poco. Ni siquiera ha leído con atención a su Salomón Reinach. Usted ni siquiera es un buen descreído, señor mío. El Marcos o el Mateo originales, tal vez fueron escritos en esas fechas. Pero *nuestro* Marcos y *nuestro* Mateo, esos pastiches, los evangelios que lee con inocencia la pobre gente, los que nos recitan los curas desde la época de Constantino, son mucho más tardíos. La Iglesia primitiva es un misterio. O un caos. Hasta mediados del siglo segundo ningún autor cristiano cita nuestros evangelios ni los Hechos de los Apóstoles, ni nada de lo que hoy llamamos cristianismo. El primer canon fue establecido en tiempos de Marción, más o menos en el año ciento cincuenta después de Jesús. Sabrá quién era Marción.

—No.

—Una especie de loco. Un herético. Un fundamentalista al revés. Negaba la autoridad de la Biblia. Quería separar el cristianismo del judaísmo y estableció que los únicos autores sagrados, para un cristiano, eran Lucas y sobre todo Pablo. ¿Se da cuenta?, ¡el fundamento de nuestra Iglesia formulado por un hereje!

—La risa de Van Hutten, en la oscuridad del cerro, tenía algo equívoco. —Pero ése no es el punto —dijo—. Dios puede valerse hasta de Marción para cumplir sus designios. Puede valerse hasta de usted y de mí. El punto es: aun suponiendo que aquellos cuatro evangelios fueran exactamente los mismos que conocemos hoy, sin agregados o supresiones, aun admitiendo ese disparate, no existe nada, una sola página, una sola palabra, una sola letra de *nuestros* evangelios que sea anterior al siglo segundo, nada que podamos llamar original. De los Hechos de los Apóstoles no hablo. Los Hechos están escritos para exaltar la figura de Pablo, ese iluminado cabrón.

—Ya he oído eso —dije.

—Qué ha oído.

—La palabra cabrón, referida a san Pablo.

—Sí —dijo Van Hutten—. Suele utilizarla Golo. Cabrón en el más estricto sentido alegórico del término. Supongo que sabe a quién llamamos el protomártir del cristianismo.

—A san Esteban —dije.

—Exacto. Esteban, compañero y discípulo de Santiago el Justo. Santiago el de la epístola: el hermano carnal de Jesús. Me imagino que también sabe que el amigo Pablo, cuando todavía no comía chancho y firmaba Shaul, estaba entre los romanos que torturaron a Esteban y lo asesinaron.

—Lo sabía —dije—, o me parece ahora que ya lo sabía. El pasado anticristiano de Pablo es conocido por todos. Sin ese pasado no habría habido Camino de Damasco, ni conversión.

—Ni lo que la pobre gente llama cristianismo, dígalo. Un hereje, Marción, establece el canon, y un judío converso, un asesino de cristianos, funda la Iglesia. ¡Qué suerte hemos tenido! ¿Sabe en qué me hace pensar todo esto? En el comunismo de Stalin, guardando las debidas proporciones y sin negar la admiración que siento por Pablo. —La risa ambigua de Van Hutten volvió a deslizarse por la noche: yo no estaba muy seguro de estar hablando con un representante de Dios. —Imagínese —dijo—, sólo imagínese, qué pasaría si alguien, con una verdad de dos mil años en la mano, pudiera probar que la Iglesia de Jesús ha sido traicionada...

Me puse de pie para moverme un poco. Tuve la sensación de que la noche de la cumbre se estaba poniendo fría.

—Hay una cosa que no entiendo, Van Hutten.

—Yo diría que son unas cuantas. Qué es lo que no entiende.

—No entiendo por qué se decidió a hablar conmigo.

—Tal vez me propongo convertirlo en mi apóstol y devolverle la fe.

—La fe en Dios.

Mi voz sonó en la noche un poco más irónica de lo que yo hubiera deseado.

—La fe —dijo secamente Van Hutten—. Cualquier fe. Entremos en la casa, ya descansé bastante.

Interior de la casa. Sala circular. Libros, chimenea. Una máscara de cobre, un cuchillo de obsidiana sobre el marco de una alta puerta de madera oscura. Estatuillas, una punta de flecha, un mapa de Jerusalén.

El doctor Golo, a solas conmigo.

—Le debo una disculpa —dijo—, debí ofrecérsela antes pero me olvidé. Usted se preguntará por qué lo dejé plantado la otra tarde en el café húngaro. Me fue imposible ir. Estaba revisando su cuarto, quédese tranquilo, no encontré nada sospechoso. Lo que sí, esa traducción del *Beowulf* que usted tiene en la valija es pésima. Donde dice que las vigas no están ardiendo, debería decir que están ardiendo. Alguien ha venido a informar que las vigas arden, y el príncipe contesta: «No es que amanezca, no viene un dragón, las vigas de la sala están ardiendo. ¡Es gente que nos ataca!» Sin querer, le desparramé el tablero de ajedrez, después ordené todo.

—Ya me di cuenta —dije—. El rey blanco, en la posición inicial, va siempre en casilla negra.

—Qué me dice —dijo admirativamente el doctor Golo—. Imagino que es lo mismo para el rey negro.

—Lo mismo, pero al revés.

—Usted me cae bien —dijo el doctor Golo.

Cuando volvió a entrar Van Hutten, Christiane venía con él. Traía el pelo suelto, los brazos al aire y un blanco vestido de aspecto catecúmeno, pero demasiado liviano, demasiado parecido a una túnica como para no resultar perturbador. Tuve la sospecha de que del modo en que la saludara, del modo en que la mirase, dependía gran parte de lo que ocurriría después. Van Hutten y el doctor Golo me observaban. Entonces, tal vez porque los tímidos tenemos reacciones inesperadas, hice exactamente lo que tenía ganas de hacer.

Me acerqué y le toqué suavemente la cara.

—Hola —le dije en voz baja—. Te oí cantar.

Christiane no bajó los ojos ni se ruborizó. Me miró con naturalidad.

—Hola —dijo.

Entraron Hannah y Vladslac. Ella traía una bandeja con tazas y un juego de café. Pude comprobar otra vez que esa mujer había sido muy hermosa; a los sesenta años todavía lo era. Una delicada hermosura de flor pálida que, sin embargo, en su juventud no debió ser del todo ese tipo de belleza que tradicionalmente llamamos espiritual, ambigüedad que se avenía bastante bien a la contradictoria personalidad cristiana de Van Hutten.

Vladslac traía una botella de ron que puso junto al arqueólogo. Demasiado secamente, según me pareció, Hannah dijo:

—Buenas noches, señor.

Dejó la bandeja sobre una mesita pero no me extendió la mano, sólo hizo un casi invisible movimiento de cabeza. Después habló en francés con el arqueólogo.

—Absolutamente seguro —contestó Van Hutten.

—Señor —dijo ceremoniosamente Vladslac—. Usted es la primera persona extraña que entra en esta casa, en muchos años.

El sentido de las palabras quedaba por mi cuenta, de modo que sonreí, como si comprendiera sin ningún esfuerzo el honor que eso significaba.

—Y ahora —dijo Van Hutten— se produce uno de esos silencios absolutamente estúpidos. Siéntense de una vez. Estamos acá para hablar de los rollos del Mar Muerto. Empecemos. La historia de los rollos del Qumran es la superchería más grande de este siglo.

—Stan —dijo suavemente Hannah.

—Superchería no es la palabra, la palabra es crimen. Pecado. Delincuencia. —El arqueólogo se sirvió un vaso de lo que había en la botella, sin ofrecer a nadie. Yo recibí mi pocillo de café. —Vladslac, ¿cuántos manuscritos se descubrieron entre 1947 y la última excavación? Me refiero tanto a las excavaciones judías como cristianas.

—Ochocientos.

—Ochocientos oficialmente, y sólo en la Cueva 4 —dijo el doctor Golo—. Podríamos agregar unos cuántos. Sin contar el que te dije.

—Lev Nicolaievich —dijo inquieta Hannah.

—Dos terrones —dijo el doctor Golo.

—Cuántos años se calculó al principio que, en manos de un grupo apto de especialistas, tardaría la traducción y el ordenamiento de todo eso.

—Diez años —dijo Vladslac.

—Llevamos casi cuarenta. Se ha traducido el rollo de Isaías, el comentario de Habakuc, los textos de la secta de los esenios, y, desde hace treinta años sólo se habla de eso y del rollo de cobre.

—¿El rollo de cobre?

La pregunta la había hecho yo. Van Hutten dijo:

—Todos los rollos que encontramos en las cuevas

eran de cuero, salvo uno, de cobre. Se lo tuvo en secreto bastante tiempo hasta que finalmente, hace unos años, se publicó su traducción. Ese rollo no tiene ninguna importancia. Es un galimatías, un disparate.

–Tan disparate, Stan, tan disparate... –dijo el doctor Golo–. Ese rollo podría ser el mapa verbal de un tesorito que, en fin. Se lo resumo –me dijo a mí–. Un rollo donde se habla de monedas, diamantes, oro, joyas rituales. Peso aproximado del tesoro descrito: ciento setenta toneladas. Incluso podrían ser doscientas. Tan disparate...

–Yo estoy hablando del cristianismo –dijo bruscamente Van Hutten–, no de una novela de aventuras o de textos judíos que carecen, para nosotros, de todo valor exegético. Isaías dijo, Habakuc dijo, a quién le importa lo que dijeron Isaías y Habakuc o que un texto hebreo traiga un punto diacrítico que...

–Momentito –dijo el doctor Golo.

–Stan, por favor –dijo Hannah.

Van Hutten puso una mano sobre la de ella.

–De acuerdo, de acuerdo –dijo en voz baja.

–De acuerdo pero momentito –insistió el doctor Golo–. Un punto diacrítico o un garabato injertado en una raíz semítica puede transformar la palabra opulento en la palabra vino, lo que podría convertir, digamos, una condena divina a los poderosos en una abstemia admonición contra los borrachos. ¡Si una humilde letra "ese" puede hacer, en francés, que un pescado te envenene...! Y, bien mirado, un espíritu griego es muy capaz de trasformar a la flacura en la ley moral.

–De qué está hablando –dijo Van Hutten.

–De *poison* y *poisson*. De lo hético y de la Ética.

–Usted sabe mejor que nadie lo que yo quise decir.

–Lo sé. Pero sencillamente no me gusta cuando, después de la primera copita, un filólogo sudamericano arrasa con la paleografía, con Isaías y con la tradición judía del cristianismo. Présteme atención –continuó el doctor Golo, dirigiéndose a mí–. Hasta hoy se ha leído en Habakuc: "Y además el vino es pérfido y el hombre arrogante no da tregua". Si corregimos, según los rollos, la raíz *hyyn* –el doctor Golo dibujó las letras con su regordete dedo índice, en un pizarrón de aire–, que viene a significar el vino, por la raíz *hwn* –el mismo dibujo, pero con un trayecto notoriamente más corto hacia abajo–, cuyo significado es *riqueza,* ¿qué nos da? Que el ricachón es jodido y que el agrandado no te deja en paz. Nos da un buen panfleto bíblico contra los oligarcas y los soberbios. Que es, precisamente, lo que se propuso el viejo profeta de Dios.

Debo reconocer que yo estaba bastante sorprendido por el giro que había tomado la conversación. No pude dejar de entrever qué había significado el arqueólogo dentro de los claustros académicos y en las polémicas de la Iglesia, y lo mismo empezaba a pasarme con el doctor Golo. La amistad entre esos dos ancianos era, cuando menos, un espectáculo asombroso.

–Entonces explíqueselo usted –dijo Van Hutten.

–Lo que el profesor quiere señalar es la importancia religiosa de esos hallazgos –dijo el doctor Golo, mientras yo, mirando al arqueólogo, pude ver en su cara que no era exactamente eso lo que había querido señalar–. Ochocientos manuscritos, piense bien en esto. Toda esta casa, llena de rollos sagrados. Todo esto en manos de tres o cuatro personas. Ochocientos manuscritos, mil manuscritos, y hoy es como si nunca hubieran existido. Fuera de lo que Stan llama la mafia de Jerusalén, casi nadie los vio nunca. Para entender la importancia de los descubrimientos del Qumran, hay que pensarlo así: si no existiera la Biblia, si nunca hubiera llegado hasta nosotros un solo texto de la Biblia, si nunca, en dos mil años, hubiéramos conocido un solo evangelio cristiano, con esos rollos del Qumran y con lo hallado en 1945, en Nag Hammadi, podría haberse rehecho, o fundado nuevamente, toda nuestra religión. La judía y la cristiana.

—Típicamente ruso —dijo sorpresivamente Vladslac, mirando el reloj y poniéndose de pie—. Si no existiera la Biblia no habría existido el Islam y, sin el Islam, no habría Gran Mezquita. Ustedes perdonen, pero yo no puedo imaginar el mundo sin la Gran Mezquita, naturalmente me refiero a su arquitectura. Es tarde para mí, los dejo. —Habló con Van Hutten. —Mañana traigo unos alemanes acá arriba... Señor —me dijo a mí—, desde hoy, mi taxi está a su disposición, sin cargo, para lo que guste.

Hannah y Christiane salieron con Vladslac. El doctor Golo no se movió.

—En qué piensa —me preguntó Van Hutten, cuando quedamos los tres solos—. Dígalo sin rodeos.

Yo lo dije sin rodeos. Dije que seguía sin entender, pero que, por algún motivo, empezaba a experimentar una sensación desagradable, nada fácil de explicar.

—Se llama miedo —murmuró beatíficamente el doctor Golo.

—¿Nunca le ha llamado la atención —dijo Van Hutten— la desproporción que existe entre la literatura cristiana, me refiero a los Padres, a Agustín, a Tomás, y la falta de noticias históricas, fehacientes, sobre la persona humana de Jesús? Los únicos testimonios que existen, los evangelios, apenas dan cuenta de dos o tres años de su vida. Se ha hallado la tumba de san Pedro. Se ha hallado una pared con el nombre de Poncio Pilato. Pero no hay un solo testimonio, fuera de los cuatro evangelios, que hable del paso de Jesús por la tierra.

–Tal vez –me oí decir–, el sentido profundo del cristianismo sea ése: el misterio de Jesús.

Yo armaba mi pipa y tenía los ojos bajos, pero pude sentir que los dos hombres me miraban con fijeza.

–Explíquese mejor.

–Que si se trataba realmente del hijo de Dios, no tenía por qué andar dejando rastros históricos. Nunca hay pruebas de Dios.

–Tengo entendido que usted es ateo –dijo Van Hutten.

Dije que no sabía. Agregué que, acaso, el término exacto era agnóstico.

Van Hutten asintió, moviendo la cabeza.

–Por eso razona como los curas. No cree una sola palabra de lo que dice pero encuentra argumentos teológicos para quedar bien con Dios.

–Permítame –intervino el doctor Golo, acercando su silla hacia mí–. ¿Cómo que no hay pruebas de Dios? La prueba de Dios, el rastro de Dios, es la creación. ¿Le parece poco bulto?

–La creación no es prueba de nada –dijo con inesperada violencia Van Hutten–. Dios no necesita pruebas, necesita fe. Cualquier estudiante de física, cualquier biólogo de pueblo, puede justificar la existencia del universo entero sin necesidad de Dios. Cállense, ya estoy cansado de interrupciones. Pero el hombre sí precisa pruebas. Y si como usted dice, aunque sin creerlo, Dios se encarnó en un hombre, también aceptó *todas* las limitaciones humanas. El hijo de Dios comía y cagaba, señor. Jesús...

—¡Estanislao! —dijo el doctor Golo.

—Jesús era como ustedes y como yo. Tenía huellas digitales y cuando caminaba dejaba la marca de su pie en la tierra. Hablaba y lo oían. Necesitaba respirar. Necesitaba comer. Necesitaba dormir. Se reía. Podía hacer el amor con una mujer: tal vez hasta lo hizo. De su espalda brotaba sangre cuando lo torturaron, no metáforas o parábolas.

—Me temo que su teología... —dije yo.

—No me hable *a mí* de teología. Si es cierto que ha leído mis libros, ya sabe lo que pienso de la teología... Y a propósito de libros: cuando usted se ponga a escribir sobre estas cosas, no mencione la palabra teología, no referida a mí —dijo Van Hutten, mientras yo pensaba con asombro que en ningún momento se me había ocurrido ni se me ocurriría escribir nada—. Tampoco escriba un libro demasiado serio, si no quiere tener problemas. Haga una novelita, un cuento, algo parecido a esto...

Van Hutten se puso de pie, fue hasta la biblioteca y volvió de allí con un librito, un folleto de no más de cien páginas. Yo no podía creer lo que veía.

—¿Cómo consiguió ese libro?

—Cayó en mis manos hace muchos años, en la Universidad del Salvador. Me lo trajo una chica de cara redonda que había sido novia suya. Qué me dice. Hace más de veinticinco años usted escribió este libro y ahora está hablando de él en La Cumbrecita con un arqueólogo muerto. Estas son las cosas que la gente como usted llama azar. Dicho sea de paso, de dónde sacó la idea.

–De una cita de De Quincey.

–*Todo lo que la tradición afirma sobre Judas Iscariote es falso.* La conozco. No me refiero a la cita, sino a la idea. La imposibilidad de la traición, el pacto secreto entre Judas y Jesús, todo lo demás.

–Supongo que lo inventé.

–Eso me parecía –dijo Van Hutten–. Sólo que si yo fuera usted empezaría a preocuparme. Usted tenía razón. Judas no traicionó a Jesús. La traición fue un pacto entre Jesús y Judas. Yo encontré la prueba.

Me fui de la casa en la piedra alrededor de la una de la mañana, lo que significa que hablamos todavía unas dos horas. Pero decir que hablamos es solamente una expresión, Van Hutten era quien hablaba.

Capítulo once
La mano en la oscuridad

Soy lo bastante consciente de mis limitaciones como para no haber continuado con el capítulo anterior. Sé que he llegado al punto más novelesco, es decir al menos confiable, de un relato en el que ni siquiera yo creí nunca, y cuya única excusa es que no pretende convencer a nadie, salvo acaso a mí mismo.

Lo que oí esa primera noche y las noches siguientes arman la historia de Van Hutten que intentaré escribir de ahora en adelante.

Tengo ante mí un fragmento de su Diario del Qumran, que me dio él mismo al irme de La Cumbrecita. Tengo, sobre todo, una copia del otro documento, aquél al que el arqueólogo aludiría más tarde como a "eso que nosotros llamaríamos una carta", transcripto en un cuaderno escolar que llegó a mis manos de una manera inesperada, ambigua y, por decirlo así, vergonzosa. Tengo también unos apuntes que fui tomando cada madrugada, al regresar al hotel.

En las hojas que siguen no hay una sola palabra atribuida a Van Hutten que no haya sido pronunciada por él en La Cumbrecita ni un solo pensamiento que no esté escrito en su diario o en ese cuaderno.

99

Pero no quiero terminar esta página sin recordar dos hechos que sucedieron esa misma noche. El doctor Golo y Christiane habían salido conmigo de la casa. Van Hutten ni siquiera me acompañó a la puerta. Estábamos en el parque de entrada cuando Hannah, apareciendo entre los árboles, me detuvo y me llamó aparte.

–Qué piensa de todo esto –me preguntó.

Sentí que esa mujer tenía miedo.

–No estoy seguro –dije–. Creo que no pienso nada.

–Él está muy viejo y no siempre sabe lo que dice. No le crea, por favor. A veces, confunde las cosas.

–El habla de un... documento.

Hannah alzó suavemente una mano, como si no quisiera oír más.

–Yo no lo vi nunca –dijo–. Nadie lo vio nunca.

Esa mujer, efectivamente, tenía miedo, pero me pareció que decía la verdad.

El segundo hecho fue más o menos así:

Christiane y el doctor Golo me acompañaron hasta el atajo arbolado que desembocaba en el parque de mi hotel. En algún momento, con un pequeño grito de pájaro, la chica tropezó en la oscuridad, y yo, instintivamente, la tomé de la mano. Cuando iba a soltarla sentí, ínfima pero inquietante, la presión de sus dedos. Mi mano se quedó quieta y ella no la soltó. Nuestra diferencia de edad era suficiente como para que aquel entrelazamiento nocturno fuera, al menos para ella, una especie de reflejo infantil. No aparté la mano hasta que llegamos a la luz.

Tardé mucho en dormirme. Dos cosas me desvelaban. La mano de Christiane y las palabras de Hannah.

SEGUNDA PARTE

CAPÍTULO UNO
La linterna iluminaba una tinaja

El sudamericano alto y curtido por el sol que llegó a Jerusalén en febrero de 1947, acababa de cumplir cuarenta y seis años, venía de las cuevas de Nag Hammadi, en el Alto Egipto, y tenía un propósito muy claro: encontrar lo que buscaba.

Leyendo a los ocho años, en Montevideo, un libro infantil sobre las excavaciones de Schliemann en Troya, descubrió lo que él llamaría en su madurez el secreto de la arqueología y de la vida: sólo se encuentra lo que se busca. "Es probable", escribió en uno de sus libros, "que la inmensa mayoría de los arqueólogos no haga nunca un solo hallazgo que merezca la más mínima vitrina en un museo, la más modesta placa de metal con su nombre, pero es seguro que en ningún museo del mundo hay un solo cacharro, una sola máscara, una sola punta de flecha que no respondan a una obsesión previa, a una voluntad anterior a la primera palada de tierra". A los siete años, Heinrich Schliemann había conocido su destino; Estanislao Van Hutten, en un librito ilustrado de la colección Niños Visionarios, lo conoció a los ocho. Todavía recordaba el dibujo de una de sus páginas. Un chico boca abajo a la sombra de un árbol leyendo un enorme volumen de aspecto impresionante. Lejos se veía una casa y, diminuto por la perspectiva, un señor vestido de negro, con una botella en la mano: el padre del niño Schliemann. La botella representaba una de las frases que Van Hutten acababa de leer: *Su padre, un pastor protestante de vida disipada, le regaló al niño visionario una Historia de los Griegos.* Recordaba, incluso, un detalle anacrónico que siempre lo asombró. Como el chico que leía bajo el árbol estaba orientado hacia la derecha, el ilustrador, más preocupado por la pedagogía que por la realidad, había dibujado el título del gran volumen en la que debió ser su contratapa. Allí se leía lacónicamente *Los Griegos*, sobre un garabato que seguramente representaba a Eneas, con su padre Anquises sobre los hombros, abandonando Troya. El garabato era sólo un garabato pero Van Hutten no dudó un instante: ahí estaban Eneas y Anquises y la ciudad en llamas. No podía ser de otra manera porque, según el librito de la colección Niños Visionarios, Schliemann, el niño visionario, había descubierto su destino de arqueólogo cuando miró, en aquella Historia de los Griegos, una lámina de Eneas saliendo por la puerta escea. "¿El que hizo este dibujo conocía Troya?", le preguntó Schliemann a su padre, el pastor protestante de vida disipada. No, había contestado el pastor. Nadie la vio nunca, nadie sabe si existió, pero Homero la describió en *La Ilíada*. Entonces Schliemann supo que Troya había existido, porque Homero no podía mentir. "Cuando sea grande, yo voy a encontrar Troya", prometió solemnemente a su padre el niño visionario. Cosa que hizo, cuarenta años después. Aquella remota siesta de Montevideo, Van Hutten fue a buscar entre sus juguetes la gran lupa que le habían regalado para su cumpleaños. La acercó al dibujo para ver si efectivamente ahí estaba Eneas saliendo por la puerta escea con su padre al hombro, padre, pensaba ahora el arqueólogo en un hotel de Jerusalén, que tal vez compartía con el de Schliemann aquello de la vida disipada, ya que había que llevarlo alzado. Bajo la lupa, en su infancia, el garabato siguió siendo un garabato, sólo que un poco más grande. El detalle no le importó: Eneas y su padre Anquises estaban en ese dibujo. Él acababa de ponerlos allí. Únicamente se encuentra lo que se busca, les enseñaría más tarde a sus alumnos de la Universidad del Salvador. Encontrar algo es haberlo puesto antes, con la voluntad.

Y lo que Estanislao Van Hutten había decidido encontrar en Palestina era un documento que probara el origen esenio del cristianismo.

Solo, sentado ante una botella de whisky en la penumbra del bar de un hotel del sector inglés de Jerusalén, pensaba sonriendo que su amigo Golo no aprobaría del todo esta teoría. Lev Nicolaievich solía decir que, hablando en general, uno encuentra cualquier cosa, menos lo que busca, como lo demostraba suficientemente el arcón que ellos habían desenterrado en Lituania un año antes, y que ése era justamente el interés caótico de la arqueología. Parecía cierto. Ellos nunca habían buscado ese arcón, pero Van Hutten siempre había buscado dinero. No por lo que el dinero solía significar para la demás gente, sino por lo que significaba para su propósito. Un arqueólogo precisa muchas cosas, pero sobre todo una: dinero. Mucho dinero. Schliemann lo comprendió muy joven, y durante años no hizo más que amasar una fortuna. Cuando la tuvo, cavó donde quiso, de la manera bárbara que quiso, sin depender de nadie, hasta que su pico chocó con la máscara de oro de Agamenón. Que no era ni remotamente la máscara de Agamenón, como diría Lev; pero que era, como le habría contestado Van Hutten si este diálogo se hubiese verificado en la realidad, la prueba de que la guerra de Troya y Micenas no habían sido un sueño de Homero.

También pensó que esta chica belga estaba tardando demasiado: eran casi las cuatro de la tarde y habían quedado en encontrarse a las tres.

Miró por la ventana. Un camión de guerra británico, cargado de hombres armados, se detuvo en mitad de la calle. Del camión bajaron unos soldados y arrinconaron contra la pared a un palestino que elevaba los brazos al cielo, se tocaba el pecho y hacía reverencias.

Que la secta de los esenios había existido, de eso no le quedaba a nadie ninguna duda. Que Jesús había tenido alguna relación con ella, era algo que siempre sospechó demasiada gente. Sólo faltaba probarlo. Filón de Alejandría había descrito los hábitos, los rituales y hasta el color de las ropas de los esenios. Flavio Josefo, el judío romanizado que escribió *Las guerras de los judíos,* daba incluso la impresión de haber vivido con ellos. Si Van Hutten podía encontrar un solo manuscrito esenio, estaba seguro de probar otra cosa: la relación del cristianismo con la secta. Y para encontrar ese manuscrito debía hallar, previamente, una ruina. Esa ruina debía fatalmente estar ubicada en algún lugar entre Jericó y los acantilados del Mar Muerto, algún lugar cercano al Jordán donde, hace dos mil años, bautizaba

Juan y hubo palmeras. Una frase del Evangelio de Lucas le había dado la primera clave, una frase que hasta hoy no había inquietado a ningún hebraísta, a ningún teólogo, a ningún estudioso de las religiones. *El niño crecía y ganaba en fortaleza de carácter, y vivió en el desierto hasta su manifestación a Israel.* La frase se refería a la niñez de Yojanaan, a quien los cristianos llaman el Bautista, y era tan disparatada que no podía significar lo que decía. Van Hutten la analizó en griego y en hebreo bíblico, no había lugar a confusión. Los padres vivían en alguna aldea de Judea, Bethelem, quizá, mientras el niño crecía y se educaba... en el desierto. Cómo era posible que un niño fuera educado en el desierto, qué chico es abandonado por sus padres en un páramo para que se eduque. Para que lo eduquen quiénes. ¿Los camellos, las lagartijas? Esa palabra, necesariamente, aludía a otra cosa. Pero si desierto no quería decir desierto, qué podía significar. Ni la palabra Templo ni la palabra Casa de los Libros podían ser confundidas en arameo o en griego con desierto. Hasta que una noche de hacía veinte años, en Buenos Aires o Montevideo, leyendo *Las provinciales* de Pascal, la palabra desierto significó repentinamente: monasterio. Desierto no aludía a la topografía de un lugar, sino que era un lugar preciso en esa topografía. Desierto, el Desierto, no era la desolación de las piedras y las escarpas de Judea: *era una metonimia.* Del mismo modo que Pascal se había recluido en Port Royal, pero no entre los mástiles crujientes de un puerto, sino en la comunidad jansenista del convento de Port Royal, así, para cualquier judío de la época de Jesús, Juan el Bautista se había educado en el Desierto: no en la soledad de las arenas o las piedras, sino en el monasterio esenio de los Solitarios del desierto. Eso era realmente lo que decía aquel oscuro versículo de Lucas. Y por lo tanto, si Juan el Bautista había sido esenio, si Jesús había sido bautizado por Juan, el cristianismo entero era un desprendimiento de los esenios.

El arqueólogo volvió a mirar con impaciencia hacia afuera. El camión británico había desaparecido, dejando una niebla de polvo que se mantenía suspendida en el aire como una nube rojiza fuera de lugar. Bajo el pesado sol de la tarde, sólo se veía al palestino. Estaba encogido, en cuclillas, y presumiblemente cubierto de moscas, junto al arco de piedra de una puerta. Por alguna razón, esta inmovilidad era menos inofensiva que sus gesticulaciones de un momento atrás.

—Cómo tarda esta criatura —dijo en voz alta Van Hutten.

—Esta criatura —dijo en francés una chica de pelo dorado y grandes ojos grises— está sentada desde hace cinco minutos a un metro de usted, querido profesor.

—De todas maneras, tardaste.

—No es tan fácil andar por la calle. Todo el mundo, sea judío, inglés o jordano, parece dispuesto a entrar en guerra dentro de cinco minutos. Tuve que mostrar mi salvoconducto tres veces. Dónde tengo que llevarlo hoy.

—A los acantilados.

La chica era una demostración palpable de que un arqueólogo encuentra sólo lo que busca. Estaba dotada en cualquier sentido que quisiera dársele a la palabra, desde hacía una semana vivía deslumbrada por la personalidad sudamericana de Van Hutten, y llevaba en su cartera un salvoconducto inglés que le permitía desplazarse por el protectorado con absoluta libertad.

Era hija de un cónsul belga y conocía Palestina como si hubiera nacido allí.

—Claro que ahora ya es tarde para ir y volver —dijo ella.

—Eso es lo que me temía —dijo molesto Van Hutten.

—Hay una solución —dijo enigmáticamente la chica.

Van Hutten, con sus cuarenta y seis años cumplidos, había aprendido a desconfiar de los secretos triviales de las mujeres. Generalmente son trampas muy pensadas, telas de araña que tejen en la soledad de sus enigmáticas cabezas. En el centro de esas telas suele debatirse un hombre diminuto.

—Qué solución.

—Volver de allá muy tarde. No volver, quizá, antes del amanecer.

En la vereda de enfrente, una vieja mujer de negro, envuelta en trapos de la cabeza a los pies, se apoyó un instante contra el arco de piedra. Llevaba sobre el hombro un palo con un atado raído, que dejó en el suelo junto al hombre en cuclillas. Cuando la vieja retomó su camino, sin su atado, el hombre había desaparecido.

—Tenía entendido que los horarios de tu padre eran inflexibles —dijo Van Hutten.

—Papá viajó a Haifa. En el consulado ya saben que debo pasar la noche con un grupo de la Escuela Bíblica. Un estudio de campo.

—Bajo la dirección del profesor Van Hutten.

—Ajá —dijo la chica.

—Dónde está tu bolsa de dormir.

—La dejé en su jeep.

—Mejor nos vamos ya —dijo Van Hutten.

El jeep estaba saliendo de la ciudad por la puerta oriental que da a la carretera de Jericó cuando se oyó la explosión. Por el estruendo, Van Hutten dedujo que en el atadito de la vieja había lo suficiente como para volar una manzana.

Esa misma noche, junto a los acantilados amarillos del Mar Muerto, Van Hutten se acostó por primera vez con la chica y tuvo, por primera vez, la certeza absoluta de que uno sólo encuentra lo que busca, aunque no siempre sepa qué es, realmente, lo que ha estado buscando.

El último de estos hechos ocurrió así:

La chica belga dormía en la carpa y Van Hutten salió a caminar entre las piedras. Las montañas no tenían color, la vegetación era raquítica. La única flor que había visto, cerca del Hebrón, era el asfódelo, al que los beduinos llamaban flor de la muerte. Sintió frío, o algo parecido al frío. Era como una presencia. No podía dejar de pensar algo que algunos años después, en ese mismo desierto, él mismo le diría a Edmund Wilson: la única idea religiosa que podía engendrar un páramo como aquél era el monoteísmo. Entre esas piedras no había lugar para náyades o dioses homéricos. La gravitación de Dios era tan absoluta que podía ser tomada por su ausencia. Por costumbre, subió a un promontorio desde donde podía abarcar con la mirada una mayor franja de terreno mientras pensaba que le gustaría verlo a Schliemann en ese páramo indistinto, tratando de elegir dónde excavar. Homero era un buen geógrafo, podía confiarse en él. Los profetas y los evangelistas, en cambio, carecían por completo del sentido ornamental del detalle: estaban demasiado ocupados con Dios. Sacó la linterna del bolsillo de su chaleco, para verificar el estado de las pilas. La linterna resbaló de su mano y rodó por las piedras. Un momento después, como surgida del corazón negro de la tierra, lo deslumbró una luz. Fue tan súbito e inesperado que tardó unos segundos en darse cuenta de que era el fulgor de la linterna, que se había deslizado por una grieta y, rodando hacia el fondo de una cueva, se había encendido sola.

Se arrodilló y miró hacia abajo. La linterna iluminaba una tinaja.

La sensación de estar incursionando en una zona ambigua o prohibida, la brusca certidumbre de haber dado con un secreto que lo excedía, fue tan intensa y amenazadora que no se atrevió a llamar a Hannah.

—Hannah —repetí yo, treinta y seis años más tarde, en La Cumbrecita.

—Hannah, mi mujer —dijo sonriendo el arqueólogo—. La chica belga que me llevó esa tarde a los acantilados.

Ya no estábamos en la sala circular. Tampoco estaban el doctor Golo ni las mujeres. Van Hutten me había llevado a un cuarto lleno de libros y de máscaras y hablaba conmigo desde hacía una hora.

—Y qué es lo que usted encontró esa noche —pregunté.

—No me apresure —dijo Van Hutten—. Hace mucho tiempo que no hablo con un extraño. Ya había olvidado la sensación de placer que causa conversar.

Capítulo dos
La piel de zapa

Conversar, para Van Hutten, no era exactamente lo que una persona de mi temperamento entiende por conversar. El viejo no admitía interrupciones ni contestaba preguntas. Yo trato de ordenar ahora sus palabras como si él me hubiera contado una historia, pero, al recordar esos días, tengo la sensación de haber oído en silencio un imperioso monólogo sobre la arqueología bíblica y el significado del cristianismo primitivo, iluminado aquí y allá con algún comentario que a duras penas me permitía imaginar por mi cuenta ciertos pormenores, esos necesarios rasgos ocasionales que un escritor llamaría novelescos. Van Hutten era un orador formidable y un interlocutor pésimo. Cuando le pregunté, por ejemplo, cómo eran los acantilados del Qumran, se limitó a recomendarme que leyera un libro que sacó de su biblioteca. Cuando le pregunté si esa misma noche había bajado a la cueva, me dijo:

—A usted qué le parece.

Lo que Van Hutten encontró en esa cueva fue un pedazo de cuero, adherido a uno de los fragmentos de la tinaja. No mediría más que la palma de su mano, estaba tan pringoso y arruinado que parecía negro. No daba la impresión de estar escrito.

—Leyó *La piel de Zapa* —me preguntó sorpresivamente el arqueólogo.

—¿Cómo?

—Si leyó *La piel de Zapa*. Lo mejor que ha escrito Balzac.

Le contesté que sí. Me atreví a agregar en voz baja que eso de que fuera lo mejor de Balzac resultaba, por lo menos, opinable.

—No estamos hablando de literatura —dijo Van Hutten—. Lo único que me faltaba es que ahora nos pongamos a hablar de Balzac.

Le hice notar con precaución que era él mismo quien había sacado el tema.

—Yo no saqué ningún tema. Lo que pasa es que usted no sigue mi pensamiento, se distrae imaginando acantilados, colores de la luna, piedras. ¿Qué es lo que quiere saber?, ¿cómo era aquello? Muy bien, era de una religiosidad monstruosa. Todavía lo es. Hace diez mil años que es así. No hay vegetación. No hay pájaros. Los versos de los beduinos mencionan el bulbul, que viene a ser nuestro ruiseñor. No hay ruiseñores, y si eso que a veces se oye de noche es el bulbul, bueno, entonces francamente canta muy mal. No hay flores, salvo esa especie que los beduinos llaman la flor de la muerte, no recuerdo el nombre.

—El asfódelo —dije.

—Hacía frío —prosiguió sin prestarme atención—, pero no era frío, era una sensación casi palpable, como la presencia helada de algo muy anterior a esas piedras, algo prohibido. Los árboles parecían fulminados. Unos kilómetros hacia el norte está Jericó, la ciudad más antigua de la humanidad; si quiere, hasta puede imaginar la silueta de las ruinas del palacio donde, a causa de una señorita que bailaba, Herodes degolló a Yojanaan. El cielo es negro. ¿Qué sentí? ¿Qué sentí mientras estaba en ese promontorio, antes de bajar a la cueva?: sentí que acababa de hacer el amor con Hannah tal vez en el mismo lugar donde Jesús había puesto la planta de sus pies. Sentí que el demonio se reía de mí. Y ahora, por favor, mire las fotografías de ese libro, imagine un mar realmente muerto, un lago de asfalto semilíquido, azul, circundado por piedras amarillas de cuatrocientos metros de altura, y no me interrumpa.

—Estaba hablando de *La piel de zapa* —dije.

—Lo que quería preguntarle es si recuerda la sensación que describe Balzac. Un momento muy horroroso. Cuando el protagonista siente que la piel tiembla en su mano.

—Todo el mundo lo recuerda.

Van Hutten me miró con desconfianza.

—Su tono es burlón. ¿O me equivoco?

—Se equivoca. Siga, por favor.

La piel tembló. Eso era lo que Van Hutten había sentido en su mano cuando se apoderó del fragmento negro: un temblor. Los ojos fosforescentes de una lagartija lo miraban desde una de las grietas de la cueva. En ese mismo instante supo que había encontrado algo que el mundo cristiano había estado buscando desde hacía casi dos milenios.

—A partir de ese momento no recuerdo nada, salvo que estaba en mi hotel y que era otra vez de noche. No pudo haber sido esa misma noche porque Hannah y yo volvimos a Jerusalén de madrugada. No pudo haber sido ni siquiera la noche siguiente, porque durante muchos días no me atreví a mirar ese fragmento. Finalmente descifré una palabra, escrita en arameo. La palabra era *rabunni*. Dos o tres días después leí *nasraya*. Podría explicarle minuciosamente cómo se limpia y se hace legible un escrito de dos mil años, podría explicárselo pero no tiene ninguna importancia para usted. Seguramente eso, y rezar por mi alma y enamorarme de Hannah, fue lo único que hice durante días. También compré una casa, dejé el hotel y compré una casa de dos plantas. Desde el piso alto se veía la iglesia del Santo Sepulcro. Ahí, en esa casa, descifré las palabras que le digo, al día siguiente le escribí a Lev para que viniera de inmediato a Jerusalén.

Contra lo que dejaban esperar sus palabras, Van Hutten me explicó, con todo detalle, cómo llegó a hacer legible ese pedazo de cuero. Me habló de visitas nocturnas al Departamento de Arqueología de la Sociedad Bíblica, donde, con el instrumental rudimentario de esos años, humedecía la piel y la limpiaba, la dejaba secar y volvía a humedecerla, hasta que los primeros caracteres arameos se hicieron visibles. La restauración de un manuscrito, dijo Van Hutten, es un trabajo menos prodigioso de lo que la gente cree, si el fragmento es lo bastante grande y está bien conservado. Basta un cepillo de pelo de camello, agua, aceite de ricino. Lo primero es cepillar la capa calcárea que lo recubre y que hace ilegible la escritura; lo segundo evitar que el manuscrito, al ser mojado, se transforme sencillamente en barro. El problema mayor es el color del cuero, a veces tan oscuro que parece casi negro y da la impresión de no tener nada escrito; en estos casos se lo fotografía con un filtro anaranjado, que hace pasar a primer plano los caracteres invisibles, de modo que, por extraño que parezca, una buena fotografía infrarroja suele ser mucho más confiable que el original. Todo esto, naturalmente, se complica hasta el infinito cuando se trata de fragmentos pequeños y discontinuos que deben armarse como un rompecabezas, pero no era el caso de aquellos cueros. La verdadera dificultad empieza cuando el texto ya se ha hecho legible. Un idioma donde, como había dicho el doctor Golo, una condenación de la opulencia podía ser convertida en un alegato contra el vino, un idioma sin vocales donde todas las letras parecen cuadradas, como me decía ahora el arqueólogo, y donde una acepción de la palabra Maestro derivada de la misma raíz que Ley, puede ser traducida como "lluvia de otoño" o "lluvia temprana", exige algo más que erudición filológica. Claro que esto, agregó, estaba razonablemente por encima de mi comprensión. Pero quizá él podía encontrar un ejemplo a mi alcance. Un pasaje de los Salmos admite ser leído así: "Se le hace todo fuentes, como cubierto de las bendiciones de la lluvia temprana", o así: "pues el legislador (o Maestro) dará su bendición". Ninguna de las dos versiones era absurda; ninguna de las dos era suficiente. ¿Me daba cuenta? Yo hice un movimiento con la cabeza, como si aquella explicación fuera la diafanidad misma, y Van Hutten me habló de nuevas e inútiles incursiones a los acantilados, ahora sin Hannah. La tinaja rota, esto lo sabía el arqueólogo desde la primera noche, sólo contenía una pasta repugnante e indiscernible, un residuo maloliente de lo que, dos milenios atrás, había sido un libro sagrado. Algún beduino había bajado mucho antes a esa cueva, roto la tinaja, y al ver que no contenía ningún tesoro visible se había marchado de allí dejando que el aire y la humedad comenzaran la destrucción del rollo. El fragmento de Van Hutten, separado del resto y aprisionado entre dos láminas de cerámica, se había conservado, como dentro de una campana atmosférica, por una de esas razones que el arqueólogo se resistía a llamar casualidad.

Intentando que mi voz se oyera indiferente, le pregunté si ése era, por fin, el documento del que me había hablado.

–No del todo. El otro documento, lo que hoy llamaríamos una carta, apareció después, cuando excavamos Jericó. Lo yo que encontré esa noche era el fragmento de un evangelio arameo. En realidad no era un fragmento, sino tres. Estaban pegoteados uno sobre otro, y sólo dos eran recuperables. Poco más de quinientas palabras legibles. El resto no apareció nunca.

Van Hutten se sirvió ginebra. Yo me tomé bastante tiempo para encender la pipa.

–Quinientas palabras no parece mucho –dije.

–No es mucho, menos de tres carillas de las nuestras. Sólo que eran suficientes.

–Suficientes, para qué.

Van Hutten bebió la ginebra. Habló sin emoción, mirándome a los ojos.

–Tal vez, para destruir a la Iglesia. –Hizo una larga pausa, sin dejar de mirarme. –Qué espera –dijo después.

–¿Qué espero?

–Qué espera para preguntarme qué leí en esos fragmentos.

Se lo pregunté. Él me lo dijo.

Cuento estas cosas como si las hubiera oído en una misma noche o en dos noches ordenadas y sucesivas, pero entre mi primer encuentro con Van Hutten en la casa en la piedra y esta última conversación no puede haber pasado menos de una semana. Lo sé porque, en lo que a mí atañe, ya habían ocurrido algunos hechos que empezaban a modificar sutilmente mi relación con el mundo. Una larga llamada telefónica a Buenos Aires, por ejemplo. Mi decisión de volver. Una tormenta. Mi decisión de quedarme.

Esa noche, a la salida de la casa me esperaba Christiane. Esta vez fue ella la que me preguntó qué pensaba.

—Que él miente —dije.

La chica me miró con infantil hostilidad y quizá con decepción. Se volvió y entró rápidamente en la casa. Debí encontrar el camino por mi cuenta. Bajé malhumorado, pensativo y solo.

Capítulo tres
Tormenta

Van Hutten mentía o estaba loco. Esto lo había sentido la noche que Hannah habló conmigo en el parque de la casa. O tal vez Van Hutten sencillamente estaba loco y por eso mismo mentía. Como quiera que fuese, si exceptuaba el contacto de la mano de Christiane, nada de lo que estaba ocurriendo en La Cumbrecita me concernía, y en cuanto a ese contacto, para decirlo con propiedad, me concernía demasiado como para tenerlo en cuenta; era algo que le había ocurrido a mi mano, no a la de la chica. Nada me autorizaba a pensar que para ella hubiera existido. Esta penosa certidumbre, el calor y un largo relámpago en la ventana que daba a los pinares, me desvelaron una madrugada. El espejo del baño hizo lo demás. Mi aspecto no había cambiado mucho con el aire alto de las sierras, y no me pareció que fuera a mejorar, si aquello que se avecinaba era una tormenta. Ésa era nomás mi cara, la cara por la que el doctor Golo había hecho su diagnóstico de mí, y, sin entrar en detalles, la cara con que efectivamente me iba a morir si no conseguía aferrarme a algo mejor que la trenza de un sueño o a las palabras de un sabio senil. Devolverle la fe, me había dicho el arqueólogo a mil seiscientos metros sobre el nivel del mar. La Cumbrecita me tenía harto; decididamente ciertas alturas no eran para mí. Esa misma mañana llamé por teléfono a Buenos Aires, pronuncié sin convicción unas cuantas frases lamentables, hice dos o tres promesas que no estaba dispuesto a cumplir, recibí un lejano perdón tan poco creíble como mis propias palabras, colgué, preparé la valija y le informé a Holstein que, muy a mi pesar, mis vacaciones en La Cumbrecita habían terminado. El alemán echó una mirada por la ventana hacia el cielo encapotado pero no hizo ningún comentario ni pareció sorprendido, más bien tuve la impresión de que, vagamente, mi ida lo tranquilizaba. Llamó por teléfono a la Villa y se comunicó con el húngaro. Mi taxi estaría en el hotel a las cuatro en punto de la tarde, no tenía que preocuparme por nada, ellos mismos podían reservarme un pasaje en ómnibus hasta Buenos Aires.

El mediodía pesado, caluroso, completamente quieto, me condujo a la biblioteca desierta. Cuando el ajedrez y las novelas policiales no dan resultado, el mejor antídoto contra ciertos estados de ánimo es Mark Twain. El hábito me llevó a elegir su novela artúrica, la única reconstrucción verosímil, dicho sea como historiador, que se ha hecho sobre los caballeros de la mesa redonda. Estaba hojeando *Un yanqui de Connecticut en la corte del rey Arturo* cuando empezaron a suceder las cosas. Di con un párrafo que necesariamente debía haber leído unas diez veces antes, sin reparar en él. Parecía haber sido puesto allí por una mano ajena a la de Twain, y sonaba tan extemporáneo en un libro cómico que me vi precisado a mirar otra vez la tapa para asegurarme de que era esa novela la que había tomado del anaquel. El párrafo empezaba: "En eso podía ver la mano de aquel temible poder, la Iglesia Católica Romana..." Y más adelante: "de pronto, pasó a primer término la Iglesia, dispuesta a afilar su hacha; era sabia, sutil y conocía varios métodos de despellejar a un gato, o a una nación; inventó el derecho divino de los reyes y lo sustentó punto por punto, ladrillo a ladrillo, valiéndose de las bienaventuranzas, tergiversándolas para fortalecer una finalidad dañina; predicó (al plebeyo) humildad, sumisión a los superiores, la belleza del sacrificio de sí mismo; predicó (al plebeyo) mansedumbre ante el insulto; predicó (siempre al plebeyo, todavía al plebeyo) paciencia, mezquindad de espíritu y no resistencia a la opresión, e introdujo los rangos y las aristocracias hereditarios y enseñó a todos los pueblos cristianos de la Tierra a prosternarse ante ellos y reverenciarlos; aún en el siglo en que yo vi la luz, ese veneno seguía circulando en la sangre de la Cristiandad..."

Había terminado de leer esas palabras cuando la claridad del día bajó de golpe como las luces de un escenario al acabar un acto. Hubo un súbito silencio, una especie de hueco de silencio que no era el de la biblioteca, que parecía haber entrado allí desde afuera. Me asomé a la ventana. Frente al hotel pasaron dos mujeres, casi alegremente corrían cuesta arriba, sosteniéndose las polleras que se embolsaban como capullos. El vestido blanco de una de ellas, iluminado por un relámpago, estalló con un pequeño fulgor, y un trueno apagado, remoto, rodó largamente por la ladera de las sierras. Pájaros invisibles refugiados en la arboleda del parque gorjearon con inquietud. Un perro, encogido y gimiente, entró por una de las puertas de servicio.

Después, todo volvió al silencio. Salí de la biblioteca a la galería lateral del hotel. En el piso alto estaban cerrando apresuradamente puertas y ventanas. Oscurecía como si anocheciera y los árboles habían tomado un tono gris, opaco, de grabado antiguo. Un viento a rachas recorrió el parque, levantó remolinos de hojas y de polvo y sacudió sin piedad, pero sin malicia, las flores de los canteros: del otro lado del camino, alcancé a ver que la pequeña curva del río se encrespaba como plata líquida. Hacia el oeste, arriba, quedaba todavía una ranura alargada de luz contra la que se recortaba la cadena de las sierras, ahora de un violeta casi negro. En unos segundos, como si bajara desde lo alto una compuerta de ceniza, desapareció también aquella última esperanza de claridad y, en su lugar, un techo de nubes color plomo cubrió el valle de La Cumbrecita. El viento que había empezado a embestirnos, indeciso, desde un lado y luego desde otro, cesó de golpe, volvieron a erguirse las copas de los álamos que formaban un arco detrás de la fuente del parque, y todo otra vez se calmó. Pero era una tregua falsa, una prueba de fuerza. De un momento a otro algo se desmoronaría sobre nosotros. Esos acordes sólo adelantaban la tormenta; jugaban con la arrogancia del hotel, imponente o al menos respetable en un día soleado. Por fin, otro relámpago rajó el cielo de punta a punta, pero esta vez tan cercano, que el trueno, casi simultáneo, pareció caer a pico desde la cima de nuestro propio cerro. Sólo entonces empezó a llover. El agua unánime se desplomó torrencial sobre cerros, árboles y terrazas. Dentro del hotel, una mujer gritó algo y otra voz femenina le contestó desde el primer piso. No eran, sin embargo, voces de alarma o de miedo, eran sonidos de excitación y casi de júbilo, formaban parte de ese lenguaje irracional, pero sólo humano, con que los que se sienten a cubierto reciben y en cierto modo celebran las tormentas. Pobres los que anduvieran por los senderos de la sierra, debían de estar pensando, junto a sus hogares a leña, los pasajeros de los hoteles. Pobre del húngaro, pensé yo mismo al reparo de la galería, pobre Vladslac, maniobrando por mi culpa con su auto por aquellos caminos imposibles. ¿Cómo sería la tormenta allá arriba, en el cementerio? El agua barrería las tumbas, y los nombres semiborrados en la piedra volverían a leerse como el primer día. La lluvia producía un renacimiento universal que incluía a vivos y muertos. Sin embargo aquello también era un preludio, un pequeño malentendido. En pocos minutos, a la caída de la lluvia cada vez menos serena se sumó el rodar de incontables torrentes que bajaban persiguiéndose por los declives hacia el fondo del valle, hacia el río, y el río ensancharía poco a poco su caudal, arrastrando piedras y raíces, anegando cuevas y madrigueras de ínfimas criaturas que tal vez aún se sentían tan seguras como nosotros. Los relámpagos se hicieron tan contiguos que, durante casi un minuto, fue como si hubiese vuelto la luz del día. El trueno inmediato hizo temblar las paredes y los vidrios y pude sentir cómo vibraba el piso bajo la suela de mis zapatos. El camino frente al hotel, allá abajo, había desaparecido. La tierra había sido ganada por el agua como si la naturaleza entera estuviese volviendo a su origen, retrocediendo hacia el caos líquido y elemental. La lámpara de la calle que bailaba pendiente del cable, fue la primera en ceder. Lanzando en todas direcciones unos destellos que, de haber sido algo más que una lámpara, habrían podido sentirse como desesperados, dio unos giros sobre sí misma y estalló. Después, las luces de los hoteles parpadearon y se apagaron, y quedamos sumidos en el centro de la noche del vendaval. Las bromas, los acordes, los tanteos habían terminado: fue como si el cerro se hubiera convertido en un embudo, tragándose a sí mismo. Adentro, una ventana se abrió de par en par y los vidrios reventaron contra las paredes. Oí gritos. Voces que no alcancé a entender. Corridas de hombres que a ciegas buscaban los interruptores del equipo de emergencia. El viento era ahora tan fuerte que la lluvia parecía venir desde el horizonte, paralela a la tierra, como si La Cumbrecita hubiese hecho un giro de cuarenta y cinco grados y estuviéramos pegados a la pared del cerro en una nueva perspectiva de moscas. Cuando aquello amainó, bajé a la galería principal, aunque debería decir que en algún momento me encontré en la galería principal, pensando, en la oscuridad, que el arqueólogo tenía razón, todo esto también armaba cierto dibujo.

El equipo eléctrico se puso finalmente en marcha y las luces principales volvieron a encenderse. Seguía tronando y lloviendo sin contemplaciones, pero por lo menos llovía de arriba para abajo. Eran las cuatro de la tarde. En la terraza de estacionamiento, trajinado, embarrado hasta el techo, pero en cierto modo invicto, estaba el Ford de Vladslac. Cuando miré el reloj, me di cuenta de que yo aún tenía en la mano el libro de Mark Twain.

—Menos mal —dijo el húngaro, corriendo hacia la galería. —Menos mal que no se perdió el chaparrón. Señor, a las ocho de la noche tiene su ómnibus especial. Asientos individuales, cena, televisión y una linda azafata que reparte caramelos. Luz para leer. Puede seguir con Salomón Reinach o intentar otra cosa. No lo va a creer pero esos ómnibus traen un Nuevo Testamento en el bolsillo de los asientos. La compañía pertenece a los adventistas. Las películas que pasan, eso sí, no son muy atrevidas. Le voy a buscar las valijas. Mañana a la mañana, señor, usted vuelve a ser un hombre de la ciudad.

—No podemos viajar con este tiempo —dije.

—Cómo que no. Yo soy el que maneja, y le garantizo que puedo. Puedo con barro y hasta con nieve. ¿Sabía que a veces nieva en La Cumbrecita? Quién le dice, algún día usted vuelve en invierno y tiene la suerte de ver nevar.

—No —repetí—. Lamento haberlo hecho venir con esta tormenta, pero no voy a viajar.

—¿Quiere que le cambie los pasajes para cuando mejore el tiempo?

Vladslac estaba representando una pequeña comedia. Se divertía con la situación, y sobre todo, conmigo.

Volví a decir que no. El mal tiempo no tenía nada que ver. Sencillamente me quedaba.

Vladslac sonreía.

—Los seres humanos son muy extraños, siempre digo lo mismo.

Entré en el hotel. Ahí estaban esperándome, junto al mostrador de la conserjería, mi vieja valija y mi bolso de mano, con ese aire leal, casi perruno, de dispuesta sumisión, que tiene el equipaje de los indecisos. Los alcé y subí a mi cuarto. Pedí una nueva comunicación con Buenos Aires. Era casi imposible que la consiguiera, con este tiempo. Pero ya me lo había dicho el doctor Golo, hay una lógica del azar que opera de la misma forma arbitraria que el destino. Hablé unas pocas palabras que ni siquiera alcancé a completar porque del otro lado me colgaron. Bueno, pensé, parece cierto que Dios juega a los dados. Y mientras ponía otra vez mi tablero sobre la mesa recordé que el ajedrez, tan inexorable y exacto, en su origen se jugaba precisamente con dados, lo que por alguna razón me puso de excelente humor. Me bañe y me afeité. La tormenta, afuera, también hacía lo suyo con el agua.

No iba a irme. Ni con ese tiempo ni cuando saliera el sol. No iba a irme de La Cumbrecita hasta que Van Hutten terminara de hablar conmigo.

CAPÍTULO CUATRO
Qué tengo yo contigo, mujer

La palabra aramea *rabbuni* significa mi rabí, mi maestro. La palabra *nasraya* es un adjetivo, derivado del nombre de un lugar: Nasrath. Nasrath quiere decir Nazaret. Al leer esta segunda palabra, Estanislao Van Hutten sintió que las manos no le obedecían y se apartaban del fragmento, como si el pedazo de cuero las rechazara. Se puso de pie y fue hasta la ventana. Tratando de serenarse, apagó la luz y encendió su pipa. Abajo se veía una calle sinuosa y desierta, de casas blancas y bajas. Esa calle pudo ser idéntica a lo que había sido dos mil años atrás. La luna, por lo menos, era la misma. Miró hacia el oeste, hacia la invisible ciudad que había convocado en la noche la segunda palabra del pergamino, *nasraya*. El de Nasrath, el nacido en Nazaret. Sólo que esa ciudad no figura una sola vez en todo el Antiguo Testamento: Nazaret es una ciudad de los evangelios, una referencia tardía y exclusivamente cristiana. Pero si aquel pedazo de cuero era un texto del Nuevo Testamento, lo que Van Hutten tenía entre sus manos era un documento cristiano escrito en lengua bíblica, un texto *arameo* acaso contemporáneo del original perdido de Marcos, anterior a Mateo, anterior a

129

Lucas, anterior al evangelio griego que se atribuye a Juan. Y si *nasraya* quería decir nazareno, el *rabunni* no podía ser otro que Jesús.

Cuando supo estas cosas ya vivía en su casa de los alrededores de la Iglesia del Santo Sepulcro, una casa en la que, aparte de Hannah, sólo entraba un joven arquitecto húngaro que le debía la vida. Salvo Lev Nicolaievich, quien llegó a Jerusalén un mes más tarde, nadie subió nunca al piso alto de esa casa, ni siquiera Hannah.

—El joven húngaro, ya lo habrá adivinado, era nuestro taxista Vladslac —dijo el arqueólogo—. Lo conocí durante la guerra. En esa época, gracias a la arqueología, yo podía llevar a cabo cierto tipo de tareas, digamos filantrópicas. ¿Qué tareas? Entre otras cosas, traer judíos a Palestina. Sabrá que los ingleses se oponían a eso. En este sentido, fueron excelentes colaboradores de Hitler.

Van Hutten se divertía en desorientarme. La mención a Hitler y a los ingleses parecía destinada a desviar mi atención de la única cosa que en aquel momento me importaba. Me callé la observación de que sus noticias sobre la cuestión palestina no eran desconocidas, y le pregunté cómo podía saber él que ese manuscrito arameo era un original contemporáneo de Jesús y no una copia muy posterior, incluso un documento fraguado. La mención de la ciudad de Nazaret era más bien una prueba en contra que a favor de la antigüedad de los fragmentos. O yo me equivocaba mucho, o era posible dudar que Nazaret hubiera existido en tiempos de Jesús.

El arqueólogo me miró con asombro. Pero no sé si fue del todo un asombro genuino, era más bien una pequeña concesión, una ambigua cortesía.

—Veo que hay cosas molestas que sí sabe —dijo sonriendo. Dejó deslizar su cuerpo en el sillón y cruzó las manos detrás de la cabeza—. Usted es una especie de cura al revés, algo así como un jesuita ateo. Pero tiene razón. Siempre hubo buenos argumentos para negar que Nazaret existiera cuando nació Jesús. Claro que también hay excelentes argumentos para negar a Dios, lo que no me parece ninguna prueba en su contra. De todas maneras, tiene razón. Cuando tardíamente se tradujeron al griego los evangelios, Nazaret, que entonces sí existía, sirvió, tal vez, para explicar o tergiversar la profecía bíblica donde aparece la palabra nazoreo o nazoreno. Palabra aramea que admite unas cuantas versiones. Una de ellas, es algo así como Consagrado al Templo. Otra, si no le parece mal, es canalla. "Y será llamado *nazoreo*", dice misteriosamente la Escritura.

—Pero usted leyó "nazareno", el nacido en Nazaret. ¿Cómo podía saber que no se trataba de una copia muy posterior? Incluso, de un fraude.

Van Hutten descruzó las manos de su nuca y echó el cuerpo hacia mí. Las dos arrugas paralelas de su entrecejo, como cicatrices, le llegaban casi hasta la mitad de la frente. Tenía las cejas blancas y revueltas. No era fácil soportar esa mirada, cuando clavaba los ojos en uno.

—Yo no podía saberlo. Pero tampoco necesitaba saberlo. Ya le dije que lo sentí. Desde la primera noche, en los acantilados. Desde que lo toqué. Espéreme un minuto —dijo después.

Se puso de pie. Sus movimientos, bruscos y precisos, no eran en absoluto los de un hombre de más de ochenta años. Lo vi sacar una llave de uno de los bolsillos de su chaleco de explorador, y abrir una puerta que, hasta ese momento, había estado oculta por una biblioteca. Pensé que aquello era demasiado. La biblioteca acababa de correrse a lo largo de la pared.

—Él no miente —oí a mi espalda, unos minutos después.

Christiane.

Por lo visto, la predilección por los efectos inesperados era una característica familiar. Eso fue exactamente lo que dije, mientras recogía la pipa que se me había caído sobre la alfombra.

—No quise decir que él mintiera —agregué, y ahora era yo el que mentía—. Vos me preguntaste qué pensaba de todo esto, y yo te dije lo que pensaba. Quise decir, supongo, que es una historia demasiado increíble para una persona como yo.

Christiane estaba vestida con la túnica que ya he descrito y, por más que yo intentara no pensar en eso, era como si debajo de esa túnica no llevara nada. No digo que las cosas fueran exactamente así, digo lo que pensé.

—Qué quiere decir "una persona como usted".

Christiane estaba de pie y yo sentado. Más que sentado, hundido en un sillón demasiado bajo. Puede ser una perspectiva inquietante, aun para un hombre de cincuenta años, o quizá sobre todo para un hombre de cincuenta años. El cuerpo de una mujer de pie se magnifica cuando se lo ve hacia arriba, algo parecido a lo que pasa con las estatuas. Con el agravante de que una mujer no es una estatua.

—Quiero decir normal —dije poniéndome de pie—. En más de un sentido, absolutamente normal. Y ahora no me preguntes qué quiere decir en más de un sentido.

—Tía Hannah no lo estima a usted –dijo ella.

—Ya me di cuenta. Explicame por qué.

—Ella tiene miedo. –Yo ya había advertido, unas tardes atrás, que Christiane no tenía ninguna dificultad en decir siempre exactamente lo que pensaba. –No es por lo que usted cree –agregó–, no es porque hay gente que pueda hacerle daño al tío Stan. –Christiane se había sentado sobre la alfombra, lo que invirtió la perspectiva pero no mejoró la situación, incluso la empeoró–. ¿Usted cree en Satanás?

La palabra era tan increíble, tan literalmente extemporánea, que no la entendí. Llegó hasta mi conciencia con tres o cuatro siglos de retraso.

—¿Si creo en qué?

—En el diablo, en Satanás.

No pude contestar. Planteada así, con esa naturalidad, por esa chica, la pregunta no admitía una respuesta inmediata. En realidad, no admitía ningún tipo de respuesta. Me senté otra vez e hice una pausa.

—Vos me preguntás si creo en el mal, en el pecado.

—No –dijo ella–. En Satanás.

Estaba pensando qué responder cuando la puerta por la que había salido Van Hutten volvió a abrirse. La biblioteca, silenciosamente, ocupó otra vez su lugar en la pared. El arqueólogo traía una carpeta y un libro.

—Contéstele –dijo sonriendo.

Lo mejor, en estos casos, es la sinceridad. Se puede ser sincero sin decir la verdad ni mentir. Le dije que era incapaz de contestar una pregunta así.

—Bueno –dijo el arqueólogo–, mi mujer sí podría. Ella es católica pero de origen protestante. Lutero y sus pancitos, o sus tinteros, contra la pared, ya sabe. Hannah sostiene que el demonio en persona anda detrás de este asunto... Hija –le dijo a Christiane–, no es hora de andar levantada perturbando a mis amigos incrédulos con preguntas que no tienen respuesta. Béseme y váyase a dormir.

La chica se puso de pie, lo besó, y con casual indiferencia también me besó a mí. El anciano arqueólogo y su amigo ateo, pensé. Para ella éramos más o menos dos representantes de la misma época geológica.

–Y usted –pregunté cuando nos quedamos solos–, ¿cree?

–¿En Satanás? Por supuesto, lo que no significa que le tema. No se olvide que, por un pecado de juventud, fui teólogo. El Bien y el Mal son dos formas del mismo principio. Habrá oído que la piedra que cae y la Luna, que no cae, son dos manifestaciones de una misma ley, y eso fue lo que descubrió Newton el día aquel de la manzana. –El arqueólogo hablaba como distraído, mientras hojeaba el libro. De pronto se interrumpió, mirándome. –Qué curioso, ¿no es cierto?

Pensé que sí. Y me di cuenta de que, sin saber cómo, yo quizá empezaba a comprender los códigos íntimos del arqueólogo.

–Que la manzana esté vinculada a ciertas formas del conocimiento –dije cautelosamente.

–Lo felicito, señor. Esto es lo que yo llamo conversar. Sí, la inocente manzana. Fruta que, de hecho, no existió en ninguno de los dos casos. Es bastante improbable, por no decir ridículo, que Newton necesitara la caída de una manzana sobre su cabeza para descubrir la gravitación universal; le bastaba con que el Sol y la Luna no se cayeran. En cuanto al árbol del Paraíso, en ninguna parte de este libro dice que ese árbol haya sido un manzano. ¿El Bien y el Mal? El Bien y el Mal son más o menos la misma cosa, operando en distinta dirección... Supongo que hasta usted, de chico, rezaba el Padrenuestro. Muy bien, la traducción latina de esa plegaria dice: *Et ne nos inducas in tentationen.* No nos induzcas, o lo que es igual: no nos tientes. Los cristianos, mi querido señor, durante dos mil años, hemos venido pidiéndole a Dios que no nos tiente. Que *Él* no nos tiente. En cierto modo, es aterrador. Todo el problema del Bien y el Mal se reduce a cómo interpretemos esa frase abismal. A propósito, ¿usted lee latín?

No le contesté. Estaba pensando, atónito, en el Padrenuestro.

—Usted me está diciendo...

—Yo no le estoy diciendo nada, no lo *induzco* a nada. —El arqueólogo se rio, breve y secamente. —Lo que sí le hice fue una pregunta. Le pregunté si lee latín.

—Sí —dije—. No. Por lo menos, no del modo en que alguien como usted llamaría leer latín.

—Usted se educó con los salesianos...

—¿Cómo averiguó eso?

—Por favor, amigo. Le estoy por revelar quién era realmente Nuestro Señor y se me asombra de que sepa qué hacía usted a los diez años. En suma, que no lee latín, o lee el latín macarrónico del hermano Don Bosco. Dicho sea al pasar, ¿recuerda que a Don Bosco, en los peores momentos, se le aparecía un misterioso auxiliar, nada menos que un perro, nada menos que un gran perro gris? —Esta vez la risa de Van Hutten atronó la sala.— Usted sabe que el perro, cierto tipo de perro, es un símbolo clásico del Adversario... Lo que le quiero decir, pero tal vez ya lo adivinó, es que el Bien y el Mal siempre andan muy cerca. Uno del otro y los dos de cada uno de nosotros. No lee latín, mala suerte. Entonces va a tener que creerme. Este libro es la Vulgata, como si dijéramos la Palabra en su acepción más monumental y sobrecogedora. No encontré ninguna versión castellana, y el latín es lo más parecido al español que hay en La Cumbrecita. Lo que va a oír ahora es el capítulo dos de Juan el apóstol, Juan hijo de Zebedeo. El discípulo querido. Dice Juan: *Tres días más tarde se celebraba una boda en Caná de Galilea y estaba allí la madre de Jesús. Fueron invitados también Jesús y sus discípulos. Y como faltara vino, porque se había acabado el vino de la boda, le dice su madre a Jesús: No tienen vino.*

Yo vagamente me acordaba. Las Bodas de Caná es uno de los episodios que más fácilmente se fijan en la memoria. También me acordaba de que Jesús le responde a su madre con bastante desconsideración. Como el arqueólogo se había callado y me miraba, se lo dije:

—Me acuerdo, sí. Jesús le contesta a María con alguna brutalidad, le dice algo así cómo qué tengo que ver yo con esto, madre.

—Mujer. Le dice: *Qué a mí y a ti, mujer.* Es un hebraísmo muy frecuente en la Biblia. Se usa, en general, para rechazar una intervención molesta o inoportuna. Y Jesús agrega, qué.

—Que todavía no ha llegado su hora.

—Bastante bien. Todavía no ha llegado mi hora. ¿Nunca reparó en algo? Después de semejante respuesta, María, su madre, quien no podía ignorar que Jesús era, para decirlo con tres palabras, hijo de Dios, lo que debió bastarle para no insistir, María se dirige a los criados de la casa y, sin darse por enterada de la negativa de Jesús, les pide: Ustedes hagan lo que él diga. ¿Lo que él diga? Él ya ha dicho con bastante elocuencia que no piensa realizar ningún milagro casero, eso es lo que ha dicho... Le confieso algo. Siempre me gustó mucho esa parte. Hay en la terquedad de María algo formidablemente femenino y maternal. Como si le dijera: Serás todo lo Ungido que quieras, serás hijo de Dios, pero yo soy tu madre, así que hagamos el milagrito y no se discuta más. –Van Hutten se reía con ganas.– Y después me dicen que la Escritura carece de sentido del humor... Pero usted se pregunta adónde quiero llegar. Ahora vea, mire bien esto. No, no se levante.

El arqueólogo arrimó una pequeña mesa y abrió sobre ella la carpeta que había traído con el libro. Vi una especie de fragmento de pergamino, una página escrita en caracteres bíblicos. Era una fotografía, pero irradiaba una fuerza tan grande que me estremeció.

–Esto es...

–Sí, pero no se distraiga. Por ahora no importa lo que es, sino lo que dice. –Van Hutten comenzó a pasar el dedo índice, de derecha a izquierda, por la página.– Dice textualmente: *Qué a mí y a ti, mujer*. O si quiere: *Qué tengo yo contigo, mujer*. Y agrega lo que todo el mundo recuerda: *Todavía no ha llegado mi hora*. Como ve, entre estos últimos signos arameos del cuero y los que siguen de inmediato no hay ningún espacio, ninguna rotura del fragmento, no falta una sola palabra, ni siquiera falta una letra. La fotografía es absolutamente fiel, y le aseguro que en estos casos las fotografías suelen ser mucho más confiables que el cuero original. Le traduzco lo que sigue: *Después bajó a Cafarnaum con su madre y sus hermanos y sus discípulos, pero no se quedaron allí muchos días. Se acercaba la Pascua de los judíos y Jesús subió a Jerusalén. ¿Se da cuenta? –Van Hutten me miraba, fijamente, sin que yo pudiera comprender en absoluto qué quería demostrarme.– ¿Se da cuenta o no?

–No sé de qué tengo que darme cuenta, profesor.

Supongo que pronuncié estas palabras con un tono de leve desesperación, y que Van Hutten las oyó precisamente de ese modo. Me miraba como si temiera aplastarme, como si acabara de advertir que estaba hablando con un pobre ser humano.

–Está bien –dijo–, no se preocupe. Nadie tiene por qué recordar a Juan de memoria. En este cuero falta *el milagro* de las bodas. Escúcheme. El único evangelio que cuenta las Bodas de Caná, me imagino que esto sí lo sabe, es el evangelio griego de Juan. Si este fragmento arameo es lo que suponemos, falta justamente lo que debería estar allí. Debería. Pero no está. Lo único que hay en este cuero es la violenta respuesta de Jesús a María y el famoso: Todavía no ha llegado mi hora. Él dice eso, y se va... Se va, con todos, de la boda. Y de ahí, a Jerusalén. Donde sucederá... Sí, señor. Lo de los latigazos en el Templo. Y acá no hace falta ninguna traducción literal, digamos que Él hizo un látigo de sogas retorcidas y les dejó el lomo negro a rebencazos, a los cambistas y a los que practicaban la Libre Empresa en la Casa de Dios. Saque alguna conclusión usted.

–¿Puedo hablar sin elegir las palabras?

–Por supuesto, de qué modo cree que se habla de estas cosas. Qué me quiere decir, que este muy verosímil Jesús Nazareno tiene un carácter de mierda, dígalo.

No pude menos que toser. Van Hutten era el católico más extraordinario que yo había visto y oído en mi vida. Cuando volví a hablar, y sin saber por qué, me encontré eligiendo con mucho cuidado las palabras.

–No diría eso, no exactamente así. En fin, que esa

negativa a su madre, seguida de la escena en el Templo... arman otra figura.

—Exacto.

—También estaba pensado que, si falta justamente ese milagro, no hay ninguna razón...

—Para que no falten los otros.

Dije que sí.

Pero lo que quisiera escribir ahora es cómo lo dije. Sin alegría. No como un profesor ateo y algo cínico dedicado a leer libros de Historia, sino de una manera desencantada, que parecía un recuerdo: como un estudiante creyente que empieza a sentir que se derrumba su fe.

Van Hutten puso su gran mano huesuda y morena sobre mi mano y me miró desde muy cerca. Sonreía con ambigua frialdad, como si me estuviera seduciendo o corrompiendo.

—No tenga miedo —dijo—. Él también hizo milagros.

Él había despertado de la muerte a Lázaro y dio de comer a cinco mil, Él perdonó a la adúltera y habló a solas con la samaritana junto al pozo de Jacob, Él cenó con los doce y le lavó los pies a Pedro, Él nació conforme a la carne, como había escrito Juan, y murió crucificado. Y aunque uno podía interpretar todas estas cosas como quisiera, *Él,* en boca del arqueólogo, quería decir sencillamente el hijo de Dios. Un hombre como todos los hombres, nacido conforme a la carne, engendrado por un carpintero de Galilea y parido por una adolescente judía que dejó de ser virgen, a más tardar, el día que lo concibió. Un hombre como cualquiera, hijo carnal de un carpintero y de Dios. De qué modo conciliaba Van Hutten las dos ideas no he llegado a comprenderlo, pero supongo que, para el viejo, no eran en absoluto *dos* ideas ni había que comprender nada. Su fe no admitía argumentaciones ni requería pruebas, ni siquiera podía ser llamada fe. Lo que el arqueólogo, a desgano y como si evitara pronunciar su nombre, llamaba Dios, no encajaba en ninguna de las nociones que un hombre como yo pudiera hacerse de la palabra Dios. Cuando, en algún momento de la noche, intenté tocar ese tema, dijo con malhumor que yo me preocupaba demasiado por lo accesorio, por los detalles. Dios existía y punto, nos gustara o no, creyéramos en él o no. Jesús era un hombre y era su hijo, y otra vez punto. El ejemplo que me dio era abrumador. Imagínese por un momento, me dijo, que yo no fuera yo. Imagínese que yo fuera, digamos, Einstein. Usted me pregunta por la forma del Universo y yo le contesto que es, en términos generales, curvo, ilimitado pero no infinito, que su curvatura puede dibujarse como una montura inglesa, una montura de caballo. Usted me pide que se lo dibuje. Se lo dibujo. Usted me pregunta con estupor cómo lo sé. Yo le contesto que no importa cómo lo sé, que el Universo *es* así. ¿Sabe lo que pensaría usted? Usted pensaría que no entiende una palabra de física cósmica pero que yo debo tener razón. Le achacaría el misterio a su pobre cabeza convencional, no al Universo ni a mí. Bueno, con Dios sucede algo parecido. Usted es uno de esos intelectuales desesperados que imaginan concebir perfectamente una ameba en un pantano, un protozoario que da lugar a un pez o a un batracio que se transforma en saurio o en pájaro peludo, que asciende a mono y que de ahí, de un modo u otro, después de cien millones de años, culmina en Cervantes o en el Einstein que le dibuja un universo con forma de montura. Y ¿quiere que le confiese un secreto teológico?: yo también. La diferencia entre nosotros es que usted carece de verdadera imaginación, imagina mal, imagina que esas razonables estupideces niegan a Dios. Usted seguramente ha leído que la resurrección, los peces y los panes multiplicados, la cena ritual, el dios inmolado, son anteriores en miles de años al cristianismo. Yo también lo he leído, y hasta lo he escrito, y estoy seguro de que efectivamente todo lo que llamamos cristianismo comenzó a formarse entre los sumerios, entre los egipcios, entre los persas, e incluso mucho antes, cuando comíamos raíces y caracoles o nos comíamos entre nosotros, en la noche de la horda, cuando, en cuatro patas, buscábamos a Dios aullando de terror bajo la Luna. Usted es de los que piensan que, porque el hombre de Cromagnon era demasiado feo, las palabras bíblicas que dicen *hecho a mi imagen y semejanza* son imposibles. Usted, no sé si se da cuenta, supone que Dios es buen mozo. No, señor. Dios no tiene la misma idea de la belleza que usted, ni la misma idea de la matemática ni la misma idea de causalidad biológica. Dios es absolutamente otra cosa, y puede arreglárselas muy bien sin nuestra ciencia, sin nuestra metafísica, sin nuestra teología. Hágame caso. No piense más en estas pavadas, no crea en Dios si no quiere, da exactamente lo mismo, qué le va a pasar a Dios si usted no cree. Nada. Y a usted tampoco, a menos, claro, que crea en Satanás y en el Infierno. Pero si usted no cree en Dios cómo va a creer en Satanás. ¿O sí?

—Por otra parte —dijo finalmente—, mi tema no es Dios. Mi tema es Jesús.

En suma, que Jesús era hijo de Dios pero no era, en absoluto, el Jesús de la tradición. Era un esenio, una especie de anarquista que había venido a poner al hijo contra el padre y al hermano contra el hermano, un judío de carne y hueso que decía: *Si lo das todo menos la vida, has de saber que no diste nada*, y que, por si eso fuera poco, había establecido el mandamiento imposible de amar al prójimo como a uno mismo. El arqueólogo cerró bruscamente la carpeta.

Yo me puse de pie y fui hacia una de las ventanas que daban sobre los pinares.

Las estrellas seguían fijas en el cielo, las sierras lejanas no habían cambiado de sitio ni de forma. Las luces de los hoteles, sobre todo, tenían el mismo aspecto tranquilizador y un poco irreal que debe tener un lugar de descanso para gente que, en cualquier momento, volverá a sus oficinas, a sus microondas, a sus créditos bancarios. ¿Qué era, finalmente, lo que yo había visto? La fotografía de unos caracteres ilegibles que, en el mejor de los casos, suponiendo que dijeran lo que el arqueólogo me tradujo, contaban, de otro modo, unas bodas en Galilea hace dos mil años.

Dejé de mirar por la ventana y me volví hacia Van Hutten.

—Usted no puede afirmar todo lo que ha dicho de Jesús, a partir de un fragmento al que le faltaban, por la razón que sea, unos versículos de las Bodas de Caná.

—Claro que no —dijo con fatiga Van Hutten—. Claro que no. Pero estoy muy cansado para seguir hablando esta noche. Váyase, juegue solo con su ajedrez e intente dormir. Vuelva mañana o pasado, si le quedan ganas. O no vuelva nunca. Pero mejor vuelva: en lo que me falta contarle hay bastante aventura, también hay descripciones. Es, en cierto modo, una novela policial escrita por el Espíritu Santo. Hay muertos, incluso hay muertos.

Me pareció que el arqueólogo, súbitamente, se había puesto de mal humor. Mientras me iba, le pregunté por qué.

—No va a creerme —dijo—. Me pone de muy mal humor que no haya sucedido lo de María y su inocente milagro. Era una escena muy conmovedora. Qué le costaba a ese Energúmeno hacerle una concesión a su madre.

—Necesito que me conteste una sola pregunta más, Van Hutten.

—Hágala y váyase. Dormimos poco, pero también los viejos necesitamos dormir.

—Usted cree que Jesús era hijo de Dios...

—¿Otra vez? Sí.

—Pero, entonces...

—Usted quiere saber si creo que, *por lo tanto,* Jesús era Dios... No sea chiquilín, por favor, cómo voy a creer semejante idiotez.

Capítulo cinco
Almah

Dormir o jugar al ajedrez. No hice ninguna de las dos cosas, ni esa noche ni las siguientes. Bajaba de la casa en la piedra y, pasando de largo por la explanada que daba a la terraza de mi cuarto, descendía hasta el camino principal y me iba a caminar por las alamedas. La serenidad de la noche, la vehemencia del perfume de los árboles, el esplendor del silencio, me hacían concebir ideas extrañas y pueriles que creía muertas en mi corazón y que volvían a mí desde el fondo de los años como a través de una tierra calcinada. No tengo empacho en confesarlo. La palabra Paraíso puede cifrar una de esas ideas; el nombre de Christiane, otra. Una de esas noches, con la cara ardiente y tal vez un poco afiebrado, subí por el camino de la cascada y las dos palabras se transformaron súbitamente en otra: expulsión. El rumor sordo del agua, magnificado por la oscuridad, causaba un poco de inquietud. Era una noche cálida como de verano, pero sentí frío. Me senté con la espalda contra un árbol, al borde de la hondonada, y me levanté todo lo que pude el cuello de la camisa. ¿Cuándo fue que la naturaleza comenzó a darnos miedo?, ¿cuándo fue que la noche, su inocente ciclo cotidiano, comenzó a atemorizarnos? No había nada en esa oscuridad, en ese rumor del agua que caía allá en el fondo, en esos temblorosos macizos de árboles entre cuyas ramas chillaba de tanto en tanto un pájaro sobresaltado, nada que estuviera contra mí. Sin embargo, la amenaza acechaba en alguna parte, elemental e innominada. ¿Cómo y por qué se rompió el pacto entre nosotros y la creación? Tal vez hubo una época en que el hombre se sintió en perfecta armonía con el mundo que lo rodeaba, pero era tan difícil creerlo. Lo que a falta de una palabra mejor, ahora, al escribirlo, llamo miedo –esa inquietud, el frío, la sensación de extrañeza– no estaba en las cosas ni venía de las cosas. Estaba en mí. Los árboles, el resplandor de alguna estrella que se abría paso entre las ramas, el agua que rodaba, los chillidos de los pájaros, formaban una figura perfecta en sí misma, sin atributos morales ni intenciones ocultas. Eso era así, sin mal ni bien ni belleza ni fealdad ni historia ni pecado ni culpa. La única cosa extraña a ese orden indiferente era yo, un escéptico señor de casi cincuenta años, estremecido de frío una noche de calor, oyendo una cascada invisible, tratando de encontrar en ese orden un lugar que lo aceptara. Pero mi edad tampoco tenía nada que ver con esto; desde mi juventud, desde mucho antes de mi juventud, yo había sentido el mismo rechazo. Ni siquiera tenía nada que ver conmigo. Hombres mucho más inteligentes que yo, infinitamente más sensibles y profundos, hombres que comparados con este historiador algo afiebrado que tiritaba junto a un árbol podrían ser llamados seres perfectos, habían expresado a su manera esta hostilidad, este miedo. Cuando el descreído viejo Kant alzó los ojos al cielo estrellado y dijo ver allí la demostración de la Ley Moral, o cuando aquel otro descreído al revés, mirando el mismo cielo, se aterró de esos espacios vacíos que lo ignoraban, no hacían más que decir lo mismo con distinto estado de ánimo o quizá sólo con distintas palabras. Nada de esto es yo: eso es lo que sentían. Qué tiene que ver la moral humana con el camino que siguen las estrellas, qué hay de bueno o de perverso en el nacimiento de los mundos o en su destrucción. Qué puede haber de aterrador, salvo que un número tenga en sí mismo algo de maligno, en cien mil millones de astros rodando en el vacío hacia la indiferente eternidad. Cómo no pensar que el hombre era lo único verdaderamente extraño a la naturaleza, una parte no ajustada a ella, el resultado imprevisto de un orden que alguna vez se bastó perfectamente a sí mismo y que, en rigor, si exceptuábamos nuestra conciencia, nuestras preguntas, nuestros sentimientos, aún seguía bastándose a sí mismo. Si era esto, si era este orden helado e inhumano que me excluía lo que Van Hutten llamaba creación de Dios, entonces resultaba bastante clara la parábola bíblica del árbol del conocimiento. Fuera o no una manzana, la fruta del árbol del Paraíso corrompió a la creación. No corrompió al hombre: lo creó. Con la primera pregunta que se formó en la cabeza simiesca de un protohomínido que buscaba en cuatro patas caracoles o raíces o un dios, apareció sobre la Tierra el desorden, lo imprevisto y ya para siempre irremediable. Esa cascada, esos árboles, esos pájaros sobresaltados en su sueño, esas estrellas impávidas, no se hacían preguntas sobre su destino ni buscaban verdades, eran así, y punto, como decía el arqueólogo de su Dios. La inteligencia es el adversario y el acusador de la creación. Es el pecado: es Satanás. El

Paraíso no era un jardín perdido en algún lugar de la Tierra, sino la Tierra entera, y, aunque habitemos en ella, es de la Tierra que fuimos expulsados.

Esa noche, en mi árbol de la cascada, sentí ganas de reírme, y, contra todo lo que yo mismo hubiera esperado en semejantes circunstancias, me reí. No era nada bueno reírse en la oscuridad, temblando de frío una noche de calor, al borde de una hondonada, con ese fondo invisible que tronaba allá lejos. Pero había recordado las palabras del doctor Golo, cuando mi llegada a La Cumbrecita. Cuidado con las sobredosis de naturaleza. La naturaleza hace meditar. Lo único que me faltaba era engriparme o estar volviéndome místico o filósofo. Regresé a mi hotel estornudando y pensando en Christiane. Yo la había imaginado, unas noches atrás, desnuda bajo su vestido de catecúmena. Y esa era otra prueba de nuestra rareza en el mundo. El único animal vestido era el hombre. Todos los otros andan desnudos, sin que eso los inquiete, los resfríe o los avergüence. Ninguno necesita vestirse o desvestirse, ni abrigarse, ni cambiar de ropa. Excepción hecha de la serpiente, que de tanto en tanto se despoja de su piel. Definitivamente, yo tenía fiebre.

No volví a mi cuarto por la explanada de los pinos sino por la puerta principal del hotel. Quería tomar una ginebra o un whisky antes de acostarme a dormir. Holstein en persona me sirvió un cognac, con su mejor sonrisa bávara, y hasta me ofreció un vaso de leche caliente y una aspirina. Sobre el mostrador, vi una frutera con manzanas. Destino curioso el de la manzana, tenía razón el arqueólogo. Le pregunté al hotelero si podía llevarme una y me dijo que naturalmente. Mordiéndola, sonriente y casi curado, entré un rato después en mi cuarto.

Estaba escribiendo en la cama cuando, tras la puerta ventana que daba a los pinares, apareció Christiane.

Más arriba expliqué que esta subida nocturna a la cascada, y por lo tanto lo que acabo de escribir, sucedió en realidad varios días más tarde, después de otras conversaciones con Van Hutten en la casa en la piedra.

No es éste el lugar, suponiendo que ahora encontrara las palabras, para seguir contando lo que, inmerecidamente, me deparó esa noche.

Capítulo seis
A Jerusalén se entra por el este

Los legos creen que una excavación arqueológica es una aventura romántica y llena de misterio, dijo cualquiera de esas noches el profesor Van Hutten, una de esas películas en tecnicolor que ocurren en las Pirámides, donde la maldición de la momia persigue a todos los que han participado en ella y los va exterminando uno por uno. Y, ¿sabía yo una cosa?, en parte eso era cierto. Sólo que también se parece, para los beduinos que cavan, a deslomarse como esclavos en una mina y, para los ilustres sabios que la dirigen, a comandar una cuadrilla de facinerosos. Cuando Lev llegó en 1947 a Jerusalén llamado por mí, dijo el arqueólogo, nos abocamos a resolver dos o tres problemas prácticos. Conseguir un permiso del gobierno para cavar, fue el primero. Usted imagine sobornos, encuentros clandestinos a medianoche bajo los arcos de piedra de una puerta de dos mil años, usted vaya haciendo su novela de aventuras. Segundo problema práctico: encontrar cincuenta nativos baratos y hambrientos dispuestos a trabajar de sol a sol como animales, sin que eso significara enloquecer de codicia a las tribus beduinas, que podían imaginar que andábamos detrás de algún tesorito material. El tercer problema, ése lo resolvió Vladslac. Pero antes de seguir oyendo al árido profesor, intervino repentinamente el doctor Golo, permítame una digresión, y agregó que si algún día yo viajaba a la Ciudad Santa, no me olvidara de entrar por el Este, porque a Jerusalén debe entrarse por el monte de los Olivos. Uno llega a Jerusalén, y a mitad de camino entre los olivares y la ciudad propiamente dicha, antes de que lo distraigan los burros que andan por la calle, los judíos, los armenios, los sirios, el olor de las coliflores y los gritos de los árabes jurando por Alá que la carne medio podrida que nos ofrecen es fresca como una rosa de El Cairo, se ven aparecer de golpe, como una epifanía, las torres de la iglesia de Santa Magdalena. Seis torres en forma de cebolla. Seis torres a la rusa. Entonces, hijo mío, si además tiene suerte y es la hora del Angelus, usted oye las campanas de la Magdalena, y las campanas de la Magdalena no suenan de cualquier modo, cantan, hablan entre sí, son tocadas como las tocan en el Monte Athos, como se modula un instrumento. ¿Yo había estado alguna vez en el Monte Athos? ¿No? ¿Tampoco en Puebla, México, frente al Popocatepetl? El doctor Golo lo sentía en el alma, porque entonces, ya que por lo visto tampoco había entrado en Jerusalén por el Este, nunca había oído sonar una campana. Sin ánimo de impacientar al profesor Van Hutten, el doctor Golo necesitaba agregar todavía unas palabras sobre la Tierra Santa. Jerusalén, llamada también el ombligo del mundo, es una ciudad espantosa, sucia, con hombres horribles y sudados que andan a cara descubierta, y con mujeres, tal vez aromáticas y hermosas, que van envueltas como berenjenas. Explotan bombas a cada momento. Los burros lo empujan a uno por la calle, a cabezazos. Medio mundo le quiere vender algo a la otra mitad, que regatea. Se oyen tiros. La gente llora y gime contra las paredes. Todo está lleno de militares y de pelo. Hasta que, repentinamente, aparece Dios. No importa si se nos presenta en la Cúpula de la Roca o en el Getsemaní o en una sinagoga de la vieja judería: lo que se siente en Jerusalén es Dios... ¿Cómo qué era la Cúpula de la Roca? La mezquita. La Gran Mezquita de Omar. Un cupulón de treinta metros de alto y veinte de diámetro, construido hace mil trescientos años. Pero no construido en cualquier parte, sino, exactamente, en el lugar donde estuvo el templo de Salomón; el santuario, hoy musulmán, que fue el santuario judío donde María consagró a Jesús y que, por lo tanto, es también un santuario cristiano. Pero retomando las últimas palabras del profesor, el tercer problema, el que resolvió Vladslac, era por dónde empezar las excavaciones. Ir directamente a la zona de los acantilados donde ese hombre taciturno y ahora asomado con cara de fastidio a la ventana, encontró, si es que de veras encontró, los primeros fragmentos de la tinaja, exigía dar demasiadas explicaciones a las autoridades británicas. Piénselo. ¿Por qué cavar en los acantilados del Mar Muerto, y no en alguna antigua ruina ya establecida por los mapas?, ¿por qué en ese páramo de salitre y terror, junto a un mar de moco, en una tierra donde la ciencia arqueológica había decidido hace años que los siglos, la sal, las correrías de los árabes, hacían imposible encontrar una pepa, y no entre los escombros de un convento o de un emplazamiento romano?, ¿por qué no en Masadá o en Mird? ¿Por qué no, preferiblemente, en otro planeta? Explicaciones que, por supuesto, yo no estaba dispuesto a dar, dijo abruptamente Van Hutten desde la ventana, sin volver la cabeza y como si hablara con la noche. Y esto, tal vez, continuó en voz baja el doctor Golo, exigiría que conversáramos un poco sobre cuál era el estado de conciencia de nuestro eminente amigo, en aquel momento terrible de su vida. Él era un científico y un teólogo y un paladín de Dios. Ese hombre, aunque bebedor y mujeriego y de pésimo carácter, era considerado ya a los cuarenta años un filósofo de la religión a la altura de Tillich, y sin embargo estaba mezquinando a sus colegas, y a su Iglesia, lo que acaso fuera el mayor descubrimiento arqueológico de la cristiandad. ¿Por qué lo hizo? ¿Por qué no informó de inmediato a las autoridades de la Escuela Bíblica lo que había hallado en esa cueva, si es que había hallado alguna cosa? Eso, dijo el doctor Golo, eso que se lo explique él mismo, si puede.

Se palpó los bolsillos buscando algo, no lo encontró, se levantó y salió de la habitación.

—Yo mismo me di a mí mismo muchas respuestas, y muy convincentes, a esa pregunta —dijo Van Hutten sin moverse de la ventana—. Hoy sé que fue por la más sencilla y poderosa de las razones humanas: el orgullo. Tal vez Hannah no se equivoca cuando piensa que Satanás en persona anduvo siempre detrás de todo esto. Escúcheme bien —dijo después, sentándose junto a mí. —Tengo más de ochenta años. He conocido verdaderos apóstoles del pensamiento y de la ciencia, en la disciplina que usted quiera, durante mi larga vida entre ustedes. He conocido filósofos y teólogos, he conocido artistas, he conocido seres en el límite de la santidad. No he conocido a ningún hombre que, llegado el caso, no antepusiera su monstruosa vanidad a lo que llamamos el bien común.

—El arqueólogo se inclinó hacia mí con un gesto repentino, y agregó bajando la voz: —También puede creerme otra cosa: Lev no sabe lo que dice. Lo único que no se siente en Jerusalén es la presencia de Dios. Me he encontrado más de una vez, en cambio, con el otro, me lo he encontrado en persona. –Van Hutten me miró. –Pero veo en su cara que a usted le interesan los hechos. Usted es un historiador que debió escribir novelitas de aventuras, suponiendo que la historia y la ficción no sean el mismo género. Muy bien. Los hechos, lo que usted llama hechos, en parte ya los conoce: un poco antes de que Muhammad ad Dib descubriera los siete primeros rollos esenios del Mar Muerto, yo encontré un fragmento del Evangelio arameo de Juan, y, poco después, en Jericó, otro documento terrible... La excavación de Jericó, mi escandaloso libro sobre el método que usó Josué para derrumbar las murallas y mi polémica con Roma, fueron una farsa, ya se lo dije, una cortina de humo ideada por Vladslac para que yo pudiera cavar en el Qumran. Treinta o cuarenta beduinos cavaban en la meseta de Jericó bajo las órdenes de Vladslac, mientras Lev y yo, con un grupo de hombres de mi absoluta confianza, viajábamos a los acantilados. Jericó está a unos doce kilómetros de los acantilados del Mar Muerto, y aunque en esa época los caminos eran pésimos, bastaban unas horas para llegar hasta allí. No encontré ningún otro fragmento, no hasta mucho después, pero descubrí el monasterio. El lugar al que Lucas nombra "el desierto"; lugar donde se educó el Bautista y, con toda seguridad, el propio Jesús. Sólo que ese monasterio no era exactamente un monasterio... Usted sabe que existe un texto muy contradictorio de su colega Flavio Josefo, referido a los esenios. En la primera parte son castos, místicos, apolíticos y, sobre todo, algo insípidos. En la última parte son así... –Van Hutten fue hasta la biblioteca y yo pensé que iba a leerme algo. Lo que hizo fue señalar una colección de cinco libros encuadernados en tela gris, poner su mano en el lomo de uno de ellos y citar de memoria: –"Desprecian el peligro y le dan a la muerte, si llega con honra, más valor que a una vida inmortal. Su carácter fue sometido a pruebas terribles en la guerra contra los romanos. Apaleados, retorcidos, quemados y rotos, desgarrados por todos los tormentos, no blasfemaron de su Legislador ni aceptaron comer cosa prohibida, ni rogaron a sus torturadores ni vertieron una lágrima..." Bueno, lo que yo vi en los acantilados se avenía mejor a la última parte... Ese monasterio era más bien una fortaleza. –El arqueólogo fue otra vez hasta la ventana y, dándome la espalda, miró la noche de los cerros. –Eso era un cuartel de Dios. Era un falansterio para la guerra.

Volvió a entrar el doctor Golo.

–Acá está –dijo–. Lo dibujé yo mismo. –Desplegó un papel sobre la alfombra. –Ésta es la cisterna, ésta la torre, a esto se lo describe como el Scriptorium pero más bien parecía una sala de armas. Este rectángulo punteado es un cementerio, dentro mismo del convento. Y sabe una cosa, había mujeres enterradas.

El croquis era muy preciso. Pero nada garantizaba que no fuera la copia de un plano incluido en cualquier libro sobre los rollos. Yo mismo, hoy, podría dibujar de memoria los contornos de aquel asentamiento. Lo que lo diferenciaba a ese dibujo de los que he visto más tarde, era, sobre todo, la interpretación que se daba a los ámbitos. Vi un gran círculo, una flecha y una palabra en francés.

–Horno –dije con mucha cautela–. Para qué podían querer esos monjes un horno de semejante tamaño.

–¿Monjes? Usted no es tan estúpido como pretende hacernos creer –dijo Van Hutten–. Usted, estudiando la

Historia, ha visto muchos croquis semejantes a éste. Sabe de antemano, sabe perfectamente qué significa un horno de estas dimensiones, en una fortificación así. –Si es que se trata de una fortificación –dije–. Y si eso era un horno.

–Exactamente hace dos mil años –dijo el doctor Golo– era, exactamente, un horno. No un horno para cerámicas, se entiende. Los cacharritos que se encuentran en las mejores excavaciones arqueológicas pueden cocinarse en un horno para bizcochuelo. Esto, mi querido señor, era un horno padre, como dicen ustedes, un hornazo de Padre y Señor mío, y no crea que estoy metaforizando. Era el Horno de nuestro Padre y Señor. La forja donde se templaban sus armas. La tradicionalmente pacífica comunidad que construyó este horno había escrito, entre otras cosas, un tremebundo libelo llamado el Rollo de la Guerra, un libro sagrado o un poema, si quiere verlo así, que lo deja a Clauzewitz reducido al tamaño de un sorete de pollo. –El doctor Golo se volvió hacia el arqueólogo. –Me temo que la palabra sorete es demasiado coloquial.

–Es perfecta –dijo Van Hutten, después se dirigió a mí–. El Rollo de la Guerra es uno de los libros más feroces que usted pueda imaginar. Yo ayudé a traducirlo. Trata del combate contra los Hijos de las Tinieblas.

–Puede, si quiere, llamarlos kittim –dijo el doctor Golo.

–¿Kittim?

–Romanos.

–Hijos de las Tinieblas no es una figura retórica –dijo Van Hutten–. En realidad, sí lo es, pero no tiene nada que ver con espíritus o demonios subterráneos. Hijos de las Tinieblas eran las legiones romanas. Hijos de las Tinieblas quiere decir el Imperio. Como el conocido giro "mi nombre es Legión", que los cristianos atribuimos a Satanás, no alude a ningún diablo coral o polifónico, sino a Roma, a sus *legiones*. Los judíos que escribieron esos libros sabían hacer las cosas. Se preparaban con hachas, lanzas y versos, para hacerle la guerra a un imperio.

Siguió hablando pero yo ya no lo escuchaba. Esenios. Zelotes. Legiones. Masadá. Hora de las espadas. Las palabras que oía como desde muy lejos iban armando una constelación en cuyo centro comenzaba a titilar un astro colérico que cada vez se parecía menos a la estrella de los villancicos de Navidad. De haber sido creyente, no habría dudado un segundo en calificar a Van Hutten de hereje, y aun de hereje peligroso. No tanto por sus palabras, ya que ciertas ideas sobre el origen del cristianismo no eran nuevas para mí ni carecían de fundamento histórico, sino porque este hombre sí era creyente, y porque, según él, su fe provenía nada menos que de Dios. Sin embargo, no era esto lo que me inquietaba y me impedía prestar atención: era algo muy anterior, dos palabras que habían instalado una pregunta en mi cabeza y que el arqueólogo había dicho como al pasar.

Nos despedimos y él mismo me acompañó hasta el parque. Yo no podía ver su cara cuando le hice la pregunta:

—Qué quiso decir con "el otro".

—¿El otro?

—Usted dijo que se había encontrado con el otro. En persona.

—¿Dije eso? A veces, también a mí, se me desliza una metáfora. Me refería al mal.

Capítulo siete

El que obra en la tiniebla

El otro, el otro en persona, era un monje español, o tal vez algo que obraba a través de un monje español, el padre Servando, un sacerdote experto en arameo bíblico, quien habló con Van Hutten durante toda una noche de 1948. El arqueólogo había salido del Museo Arqueológico de Jerusalén y se había encaminado hacia la iglesia del Santo Sepulcro. Llevaba, dentro de un maletín, los dos fragmentos que había encontrado un año atrás en la cueva de los acantilados. Esto, por lo que dice su Diario, debió suceder poco antes del hallazgo de la epístola. Hay, en el diario del arqueólogo, una minuciosa descripción del trayecto y, más adelante, otra, algo caótica, del "más sagrado lugar de la cristiandad que es al mismo tiempo la más espantosamente miserable iglesia del mundo". La iglesia del Santo Sepulcro está ubicada dentro de lo que era el sector transjordano de la vieja Jerusalén y fue construida en el mismo sitio que en época de Herodes debió ser el Gólgota. En el año 135, cuando el emperador Adriano arrasó todos los santuarios judíos y cristianos de la ciudad, ordenó edificar sobre el Santo Sepulcro un templo consagrado a Venus Afrodita, gracias a lo cual, en vez de desaparecer, el lugar quedó marcado para siempre y sirvió para que Constantino, doscientos años más tarde, derribara el templo pagano y reconstruyera allí la iglesia. En 1948 se llegaba a ella por un sórdido laberinto de callejuelas y casas malolientes que, según el arqueólogo, hacían pensar menos en una ciudad santa que en un suburbio del infierno. Tal vez Jerusalén y el Santo Sepulcro hayan cambiado en los últimos años, pero yo me atengo a sus palabras. Junto a un bazar, separado por el arco de piedra de una gran puerta, hay un callejón ciego que da a un vasto paredón. Por todas partes cuelgan coronas de espinas. Detrás de la puerta en arco –o avanzando por el corredor, eso no queda muy claro en el Diario– unos escalones de piedra desembocan en un patio. La primera impresión que se tiene es la de haber llegado a una estación de tranvías de los años treinta, apuntalada aquí y allá por unos zunchos de fierro. Hay una escalinata llamada latina, por la que ha bajado el arqueólogo y, a su izquierda, una escalinata griega, que da a una calle lateral. Multitud de altares de todas las confesiones cristianas, el de los coptos, el de los católicos, el de los griegos ortodoxos, el de los armenios, irradian en la oscuridad una dudosa luz entre rojiza y dorada, y están abarrotados de velones y exvotos. El vaho a cera derretida y el pesado perfume de las flores, dice haber pensado Van Hutten, es el olor de la cristiandad y el olor de la muerte.

–Nuestro teólogo laico –oyó a su espalda.

Una corriente de aire frío hizo temblar la llama de los pabilos y precedió a la voz. Un frío tan palpable que Van Hutten se dio vuelta antes de que cesara el eco de las palabras. La puerta que daba a la calle lateral estaba abierta y un pequeño fraile de hábito raído y aire afable bajaba por la escalera griega.

—A qué debo el honor de tan ilustre visita —preguntó el padre Servando—. No me parece que tenga que ver con la piedad. Los piadosos obran a la luz del día.

—Necesito su ayuda, padre.

—Bien dicho —murmuró el padre Servando—. Ése es el modo tradicional de iniciar cierto tipo de conversaciones. Sabrás que mi ayuda tiene un precio.

Van Hutten, sonriendo, sacó de entre sus ropas un rollo de libras palestinas y lo depositó en un jarro que decía Limosnas. El otro también sonrió, mirándolo hacer, después rio francamente. Dijo:

—Eso es una buena ayuda para refaccionar materialmente este sagrado cenotafio. Yo me refería a un precio más ¿espiritual?

—No lo comprendo, padre.

—Me doy cuenta, hijo mío. Ciertas cosas toman su tiempo. Por favor, discutamos en mi celda.

Bajo arcos dorados, entre íconos irreconocibles por la luz casi submarina de los candelabros, bajaron por escalones tallados en la piedra. No era la primera vez que Van Hutten entraba en el Santo Sepulcro, pero nunca antes la había recorrido estando desierta. Lo sobrecogió la enormidad del silencio. Al cruzar una de las últimas capillas, sintió, de pronto, la gravitación del tiempo. Detrás del oro y el lino bordado de los altares, podía verse la roca bruta donde, casi mil años antes, los cruzados habían grabado sus nombres, o, a falta de sus nombres, ya que la mayoría ni siquiera conocía la escritura, el único símbolo que eran capaces de dibujar: una cruz.

El padre Servando, como si hubiera adivinado su pensamiento, tomó un candelabro y lo acercó a una de las paredes. Tallado en duros caracteres góticos, Van Hutten leyó:

VON WILDENSTEIN, CABALLERO

—Pero aquella cosa cuadrada es todavía más antigua. Es una piedra romana de flagelación, no sería nada raro que a nuestro muchacho lo hayan acostado allí. Ésta es mi celda.

Entraron. Sólo se veían una mesa de tablas, un arcón y dos sillas. Una de ellas, española, de toscas patas en cruz, parecía, en aquel lugar, un objeto casi suntuoso y, por alguna razón, desentonaba con la elemental desnudez de la piedra.

El padre Servando estaba de pie. Van Hutten no se atrevió a sentarse.

—Lo que vine a consultarle debería quedar entre nosotros dos, padre.

—Eso es imponerme una condición, hijo. Suena ilícito. En cierto modo suena ¿blasfematorio?

—No quise decir...

—No importa lo que quisiste decir, sino lo que dijiste.

El cura tenía una forma equívoca de hablarle. No era sólo el tuteo sino el modo de pronunciar ciertas palabras, en tono de pregunta, como si no estuviera seguro de su significado o como si aludiera irónicamente a otra cosa, difícil de precisar.

—Pero no te alarmes antes de tiempo —dijo el padre Servando—. Sentémonos y pongamos un poco de vivacidad en este diálogo. Un arqueólogo precisa ayuda de este humilde fraile experto en arameo bíblico, pero para obtenerla deberá contarme, ¿o quizá mostrarme?, algo que no puede, al menos por el momento, ser conocido por ciertas personas de alta jerarquía y gran poder.

—Sí —admitió Van Hutten—. Puede decirse así.

—Eso es un maletín. ¿Me equivoco si presumo que ahí adentro hay un hallazgo, tal vez perturbador, que tiene que ver con el arameo?

Van Hutten sostuvo la mirada del sacerdote, sin decir una palabra,

—No puedo equivocarme, hijo mío, de lo contrario no estarías en esta celda desapacible, pidiendo mi ayuda, a estas horas de la noche.

—Su ayuda y su silencio, padre.

—De acuerdo. Cumplidas ciertas formalidades, puedo prometerte también mi silencio. Para algo somos católicos.

—¿Formalidades?

—Que te confieses conmigo. Yo te escucho, te absuelvo o no, y quedo atado al secreto sacramental, por horroroso que sea lo que me digas. Nuestra santa madre, la Iglesia, sabe hacer muy bien las cosas. Naturalmente debe ser una confesión en regla.

El padre Servando se puso de pie, fue hasta el pequeño arcón de madera y trajo de allá una estola. La besó fugazmente, la echó sobre sus hombros y volvió a sentarse.

—Empecemos por lo más fácil. Antes de mostrarme nada, hablemos de tu relación con el sexo.

Sentado en su silla española, el padre Servando tenía un aspecto tan repentinamente virtuoso que Van Hutten se conmovió. Hacía años que no se confesaba.

Su noción del pecado era sustancialmente distinta de la de un franciscano. Se lo dijo.

–O en otras palabras –respondió el padre Servando–, que durante todos estos años creíste no pecar. Si es parte de tu confesión, te adelanto que el pecado de orgullo no se borra con un Padrenuestro de penitencia. El infierno está empedrado de cabezas como la tuya. Allá abajo, te lo aseguro, caminan y bailan y patalean sobre cierto género de cabezas. –Hizo un silencio y levantó la cara, como quien se dispone a escuchar–. De rodillas –dijo con fría suavidad.

–Padre...

–De rodillas. Hablamos de una confesión en regla.

Y así, de rodillas ante el otro, Van Hutten habló de su relación con una alumna de la Escuela Bíblica y de su hallazgo del pergamino.

–Lo de la joven –dijo el padre Servando–, se arregla con un Avemaría, siempre y cuando te sigas acostando con ella. Fornicar, hijo, es hacerlo una vez sola. Muchas veces, es amor. Lo atestigua la Escritura, en la parte de la Sulamita. En cuanto a haber ocultado tu hallazgo a los dominicos, ninguna penitencia. ¿Puedo ver esos pergaminos?

Van Hutten se los mostró. El padre Servando los examinó unos segundos y dijo con sencillez:

–Falta el milagro de las bodas. No es que falte, sino que nunca fue escrito.

–Sí, yo mismo me di cuenta. Pero no es eso lo que quería mostrarle. Mire esto.

Van Hutten señaló una rotura en el fragmento. Faltaba por lo menos un párrafo. Sólo se veía el final de la última palabra, y el resto no era demasiado nítido.

El padre Servando no miró el manuscrito. Miraba a Van Hutten.

—"...quien conocía el lugar, porque Jesús se había reunido allí muchas veces con sus discípulos. Llegó con la cohorte y con los guardias enviados por los sumos sacerdotes y por los fariseos, con linternas, antorchas y armas." Sí, es Juan. Capítulo 18. Versículos segundo y tercero.

—Lo sé, padre. Se trata de la palabra que falta.

—¿Judas? —dijo el padre Servando—. Tampoco falta. En ese lugar nadie escribió nunca la palabra Judas. Esos caracteres corresponden a un sustantivo arameo que, aproximadamente, equivale a la palabra latina tribuno. Pero eso, ¿no lo sabías?

La página siguiente del Diario ha sido arrancada. En la continuación, la atmósfera de la celda parece distinta. El arqueólogo está sentado frente al padre Servando, fuma su pipa y, sobre la mesa que los separa, hay una botella de vino español, casi vacía. El padre Servando no se ha quitado la estola. La ha anudado flojamente alrededor de su cuello, como una bufanda, y, según Van Hutten, fuma unos cigarrillos de olor apestoso.

—Regalo de un pope ruso —ha dicho el padre Servando, a modo de disculpa.

—Quiero oír su propia conclusión, padre.

—Servando. Te permito el Servando, a secas. También te permito tutearme. ¿O te lo exijo?

El padre Servando llenó los dos vasos con el vino que quedaba en la botella, hizo un comentario, tachado por el arqueólogo, y se quedó mirándolo.

Van Hutten no podía evitar sentirse incómodo. Tutear le molestaba casi tanto como ser tuteado. En estas circunstancias, incluso un poco más. Bebió y, mirando fijamente al fraile, dijo:

—Quiero oír tu propia conclusión.

El padre Servando emitió una risita y dijo que habían cumplido, por fin, la segunda formalidad. Fue hasta el arcón y trajo otra botella. Su conclusión, agregó, era muy sencilla, pero antes había que destapar esa botella, golpeándola fuertemente en el culo, como a la otra, porque en una humilde celda franciscana no se tienen sacacorchos. Su conclusión, repitió, era extremadamente sencilla. Judas entregó a Jesús, pero nunca lo traicionó. El que condujo la cohorte al Getsemaní fue, ¿quién otro podía ser?, un oficial romano. Si hubiera sido Judas, para qué aclarar que conocía el sitio, cuando era perfectamente natural que lo conociera. ¿No se dice allí que Jesús siempre iba a ese huerto con sus discípulos? Esta aclaración, en su origen, debió necesariamente estar referida a otra persona, alguien que también conocía el lugar, pero que no era uno de los doce. Los cuatro evangelios son tan unánimes en acusar a Judas, y en acusarlo casi con las mismas palabras, que esa sola insistencia machacona bastaría para desconfiar, para sentir que por allí anduvo, mucho tiempo después, una mano ajena. Judas, uno de los doce, el traidor: repetido cada vez que se lo nombra y repetido de la misma manera. ¿Traidor? Traidor para conseguir qué. ¿Cuánto valía un burro, según la legislación de Moisés, cuánto valía un esclavo muerto? Treinta monedas. Judas es el tesorero de los doce, él lleva la bolsa de las limosnas atada a la cintura, él dispone del dinero de la Iglesia primitiva y puede tomar de allí lo que quiera..., pero vende a Jesús por el precio de un burro. Judas llevaba esa bolsa en su cintura porque era uno de los discípulos preferidos de Jesús, quizá el más confiable, quizá el único confiable. Para adivinar esto no hace falta poseer una clarividencia demoníaca, sólo hay que leer los evangelios. Pedro, Juan, Santiago, y Judas, son los cuatro discípulos que están siempre alrededor de Jesús. Casi los únicos a quienes se nombra. En la Última Cena los lugares en la mesa suponen, como entre los esenios, y no sólo entre los esenios, un orden jerárquico, un orden de preferencias. Los apóstoles comían recostados en triclinios, es decir casi de espaldas a la mesa, como los romanos. Por eso la mentirosa Cena que pintó Leonardo es tan incómoda de ver, con todos esos pies asomando bajo el mantel, y por eso la posición de Juan resulta tan ambigua, para no decir algo más grave. En la mesa real, en la mesa de la casa de Myriam, madre de Marcos, Juan está junto a Jesús, reclinado contra su pecho porque casi no tenía otro remedio, Cefás, es decir Pedro, también está muy cerca, ya que es él quien pide a Juan, en voz baja, que pregunte cuál de ellos será el traidor, y Judas, ¿dónde? No más lejos que el largo de un brazo, pues "el que moje el pan en mi plato, ése me traicionará". Y Judas, que por lo visto era imbécil, o sordo, va y estira su brazo y moja el pan. Todos oyen que Jesús le ordena: "Lo que tienes que hacer, hazlo pronto". Todos oyen que dice: "Ay, aunque más te valiera no haber nacido". Pero como la imbecilidad o la borrachera ya habían cundido también en aquella mesa, Judas sale y nadie se da cuenta de nada. Siguen comiendo y teologizando, y, por si fuera poco, cuando llegan al huerto se acuestan a dormir. ¿Cómo se compagina semejante disparate? De ningún modo, porque no hay nada que compaginar. Todo es una estupidez, una impostura. Existió un pacto entre

Judas y Jesús, un pacto en el que había más de un apóstol comprometido. Judas el Sicario, sin discusión, y Simón el Zelote, casi seguramente.

Escribe Van Hutten que, en este momento, se aferró a una explicación que de antemano sabía infantil. En voz baja, y sin atreverse a mirar de frente al padre Servando, dijo:

—Un pacto para que se cumplieran las profecías.

—¿Profecías? —dijo sorprendido el padre Servando—. Ese pacto no fue hecho para cumplir ninguna profecía, suponiendo que en el Viejo Testamento haya algo que pueda llamarse profecía. Pero, en fin, te lo concedo. Jesús *no sólo* fue entregado para cumplir alguna profecía, sino, sobre todo, para que lo prendieran durante la Pascua. Porque si es verdad, y es verdad, que nuestro muchacho predicaba en el desierto de Judea, nosotros, que estuvimos allí, podríamos jurar que no se cruzó con más de diez o quince nómades en toda su vida. Era necesario que fuera llevado, en Pascua, al Sanhedrín y ante Pilato. Porque en la Pascua miles de judíos se reunían en Jerusalén, y ése era el momento exacto, y la muchedumbre adecuada, para que ¿el hijo de Dios? hiciera algo que por alguna razón no hizo.

Van Hutten volvió a beber. Tentado a preguntar qué era lo que no había sido hecho, no se sintió capaz de oír la respuesta. Le bastó imaginar Jerusalén durante aquella Pascua. Le bastó imaginar una sola calle: la del mercado. Judíos venidos de Beersheba, del valle del Jordán, de Biblos, de los puertos fenicios de Tiro y Sidón, de las costas cesareas, de las llanuras de Sarón. Mujeres y hombres coléricos acusando al Procurador de gastar el tesoro del Templo en la construcción de un acueducto romano. El sol de abril sobre sus caras. El degolladero, cubierto de moscas y de sangre, donde se llegaban a sacrificar, en los días de Pascua, más de doscientos mil corderos. ¿Cuántos hombres y mujeres hacen falta para comer doscientos mil corderos? Y en medio de todo eso un judío capaz de anunciar, en nombre de Dios, que ha llegado la hora de las espadas.

—Padre, ¿usted sabe lo que me está diciendo?

—Servando —dijo el otro—. Te permití llamarme Servando, a secas. También habíamos quedado en tutearnos. —La voz del padre Servando ya no era gentil ni risueña. Se levantó a medias de su silla, apoyó las manos sobre la mesa y acercó su cara hasta casi tocar la de Van Hutten—. Lo que yo sé, y cómo lo sé, no tiene ninguna importancia. Palabra más, palabra menos, es lo que, casi arrastrándote, viniste a pedir que yo te dijera en este sagrado galpón...

En el diario falta otra página. El comienzo de la siguiente está tachado. El franciscano ha vuelto a ser afable y la segunda botella está vacía.

— ... y no sólo mi silencio sobre lo hablado —ha dicho el padre Servando—, sino también sobre la epístola.

—¿Epístola?

El fraile se ha puesto de pie, y, con un delicado bostezo, señala una pequeña ventana cuadrada: está por amanecer. Desde algún invisible alminar de la ciudad llega la dulce y quejumbrosa voz del muecín, asegurando que sólo Alá es Alá y Mahoma su profeta. Van Hutten bebe lo que queda de su vaso y también se pone de pie. Ahora los dos caminan, no muy seguros sobre sus piernas, por entre los altares y los velones y el hueco donde estuvo clavada la cruz.

—Vas a encontrar otro largo cuero, hijo mío. Mucho más interesante que ese pingajo sobre el que sólo caben conjeturas. Lástima que ya no voy a estar allí, no en persona, para ayudarte a descifrarlo.

Las últimas palabras fueron dichas en la escalera latina. Se oía un lejano rumor de aviones. La voz del muecín había callado.

—No te apures —dijo el otro. —Todavía nos falta una mínima formalidad.

Van Hutten, de espaldas a él, no volvió la cabeza. Miraba el cielo. El rumor de los aviones se volvió súbitamente más cercano y, casi de inmediato, las calles del otro lado de la ciudad estallaron. Estaban bombardeando Jerusalén.

—Qué formalidad —dijo Van Hutten con indiferencia.

—*Ego te absolvo* —oyó a su espalda—. *In nomine Patris, et Filii, et...* cétera.

Capítulo ocho
El cuaderno de Christiane

Estaba de pie, inmóvil, del otro lado de la puerta ventana que daba a los pinares, materializada súbitamente, como una aparición, en el hueco de la noche. Tuve la absoluta certeza de que había estado allí mucho tiempo, exactamente en esa misma actitud, sin hacer un movimiento, mirándome desde la oscuridad y esperando sencillamente que en algún momento yo alzara la cabeza y la viera. Creo haber dicho que esa noche, al volver de la cascada, yo tenía un poco de fiebre, de modo que no resultará extraño si confieso que, además de sobresaltarme, pensé que eran mi imaginación o mi mala conciencia las que habían traído hasta esa ventana la silueta de Christiane. Durante unos segundos que parecieron durar muchísimo, nos miramos, ella desde allá afuera, yo desde la cama. Había en la inmovilidad de la chica algo vagamente amenazador, una forma de pasividad expectante que yo ya había advertido en ella desde el primer día y que, para decirlo de algún modo, me dejaba solo con lo peor de mí mismo. Cuando me puse de pie, tampoco hizo el menor gesto. Yo, a excepción de los zapatos, estaba completamente vestido, pero supongo que si hubiera saltado desnudo de esa cama ella se habría limitado a seguir mirándome a la cara, sin hacerse responsable de lo que estaba sucediendo. Sólo cuando llegué a la puerta ventana se movió por primera vez. Con la misma naturalidad con que había estado parada allí, dio media vuelta y comenzó a irse, no a escaparse, no a huir de mí, sencillamente a irse, de un modo tan casual e indiferente que, por segunda vez, tuve la impresión de que aquello no sucedía sino en mi cabeza. Eso pudo o debió ser todo, y si hubiera sido todo yo tendría menos problemas para escribirlo. Quizá, pensé esa noche en La Cumbrecita y todavía lo pienso ahora, no era la primera vez que Christiane se aparecía a la madrugada detrás de una ventana, miraba un poco dentro de algún cuarto, esperaba que sucediera algo, o ni siquiera esperaba nada, y se iba otra vez a la casa en la piedra. Sé que soy injusto, ya que esa noche ella me mostró el cuaderno y ésa es una prueba de que era precisamente a mí a quien buscaba, pero también sé que cierto tipo de pruebas las inventa la estupidez. El caso es que salí a la explanada, la vi irse hacia el camino de la cuesta, decidí meterme otra vez en mi cuarto para dormir en paz, y, por una de esas razones superiores que Van Hutten se negaba a llamar azar, metí el pie en un cantero.

No es raro que, a mis años, una persona como yo tenga mal carácter, lo raro es que no lo sepa y que ciertos ataques de malhumor lo tomen por sorpresa. Fue pisar el cantero y sentir que estaba descalzo, afiebrado y a la intemperie. Corrí detrás de Christiane, la tomé del brazo y me oí decirle si le parecía correcto jugar de ese modo con la salud de la gente.

—Yo no quise asustarlo —dijo ella.

—No me asustaste, me hiciste poner el pie en una porquería de cantero. Qué estabas haciendo ahí.

—Necesitaba hablar con usted. Quería que viera esto.

Me mostró un cuaderno que traía en la mano. Sentí en el acto que ese cuaderno, cualquier cosa que fuera la que hubiese en él, era peligroso para mí. No peligroso en un sentido físico, sino en el sentido exacto en que resultó a la larga.

—Si viniste a eso, por qué te ibas.

—No sé —dijo sin mirarme—. Pensé que no valía la pena.

El hecho de que, observado unos minutos a solas, yo diera la impresión de no valer la pena, no importa para qué, era más de lo que esa noche me hubiera gustado oír. Ya tenía bastante con mi soliloquio en la cascada.

—No puedo seguir hablando a la intemperie —dije—. Me pongo los zapatos y bajamos a la confitería del hotel.

—No —dijo rápidamente—. Vamos a cualquier otra parte. No quiero que el señor Holstein me vea con usted.

—Por qué.

—Porque no quiero. —Después habló en otro tono, aunque no estoy muy seguro de qué tono era.— Nadie sabe que vine.

—De acuerdo —dije—. El problema es qué significa ir a cualquier otra parte. En La Cumbrecita, a esta hora, no parece haber ningún tipo de partes... Decime vos qué hacemos. —Por supuesto, ella no contestó una palabra. Hizo un gesto mínimo con la boca, un gesto que equivalía en cierto modo a un encogimiento de hombros, y me dejó en libertad de proponerle lo peor que se me ocurriese. –Creo que tenés razón –dije–. Entrá.

Entró, cerré la puerta ventana y decidí quedarme en silencio hasta que ella hablara. Un minuto después sentí que, por ese camino, podíamos seguir callados hasta el amanecer. Entré en el baño y durante un rato más largo de lo necesario me lavé el pie. Cuando salí, ella miraba mi tablero de ajedrez como si fuera un espectáculo apasionante, un pequeño parque de diversiones. Recuerdo con exactitud la posición de las piezas. Era la variante del Ataque Panov que Damián Reca refutó, de la manera más hermosa, en su libro sobre el Caro Kann. El alfil negro ha salido a cinco caballo rey. La dama blanca ya está en cuatro torre dama. Juegan las negras. Christiane levantó el caballo negro de tres alfil, lo miró y lo apoyó suavemente en su mejilla. Pensé: ahora mueve ese caballo a dos dama y resuelve, en un segundo, un problema de apertura que a Reca le llevó toda la vida. Por fortuna, no hizo nada de eso. Puso otra vez el caballo donde estaba, sólo que al derecho, con la cabecita apuntando hacia adelante. Me senté en la cama, luchando por no cometer la senil imbecilidad de preguntarle si le gustaba el ajedrez y, sobre todo, evitando mencionar el cuaderno. Iba a ponerme los zapatos cuando ella me miró el pie.

–A mí también me gusta andar descalza –dijo.

No me puse ningún zapato. No soy el tipo de persona que puede ponerse los zapatos si le están mirando el pie. Lo que hice fue decirle:

–Entonces sacate las sandalias.

Lo demás seguramente se puede contar de muchas maneras, pero la más honrada es decir que me acosté con ella.

No fue un asalto, no fue una violación ni un acto de barbarie, pero tampoco fue una fiesta para ella ni una aceptación plena de su parte, fue sencillamente que ella se quitó las sandalias y que yo estaba de pie a su lado, sosteniéndola apenas para que no perdiera el equilibrio, pero lo perdió, y debí sujetarla y el vestido se desprendió de su cuerpo casi sin la intervención de mis manos y estábamos en la cama, y sobre todo fue que, a pesar de su inexperiencia, no era la primera vez que a ella le pasaba esto. Tenía la sabiduría de la inocencia o algo en lo que mejor no pensar, desconocido para mí, decía que no, no quiero, mientras arqueaba el cuerpo hacia adelante y me obligaba a empalarla hasta sentir que la lastimaba, decía que sí y se retiraba de mí como si se ahogara o le repugnase sentirme encima de ella, la vi mirarme a los ojos con odio y con asombro y nuevamente con odio hasta que me hizo tomar conciencia de mi edad, de las arrugas de mi cara, de las canas de mi barba, y llevé la mano hacia el interruptor de la luz para dejarla en paz con ella misma, a solas con su imaginación y con su sexo, pero me pidió que no apagara la luz, por favor, me lo pidió sin tutearme, y entonces sucedió lo único que de veras no me avergüenza. Salí tan violentamente de ella que dio una especie de boqueada, como si le faltara el aire, reprimí apenas la tentación de darle una cachetada un poco a la antigua, y le dije, con una obscenidad que me siento incapaz de repetir en frío, que si estábamos haciendo lo que estábamos haciendo –y aquí nombré del peor modo posible lo que estábamos haciendo–

tuviera, por lo menos, la gentileza de no seguir tratándome de usted.

Como era de esperar, todo se normalizó en la media hora siguiente. Estábamos, por fin, acostados en la oscuridad, mirando por la ventana la noche de los pinares, con algo que podía reemplazar más o menos bien a la ternura, cuando ella volvió a hablarme del cuaderno.

—El no miente —dijo—. Quiero que lo leas.

—No sé si tengo mucho ánimo.

Lo que era absolutamente cierto, por más de una razón.

—Dejame prender la luz —dijo.

—Hacé lo que quieras —dije yo—. Pero tené en cuenta que con luz me vuelvo real.

Entonces oí algo bastante agradable. No fueron las palabras sino el tono.

—No seas estúpido —dijo.

Encendió la luz, sacó medio cuerpo fuera de la cama, tanteó en el piso y me alcanzó el cuaderno.

—No te molesta mucho andar desnuda —dije.

Ella, sonriendo, me preguntó por qué tenía que molestarle. Después me miró casi con temor, se cubrió el pecho con las sábanas y quiso saber si eso me molestaba a mí. Era invulnerable. La tranquilicé lo mejor que pude.

Calculo que empecé a hojear el cuaderno de Christiane a la una de la mañana y que no lo dejé hasta pasadas las tres, hora en que la chica salió de mi cuarto. Era un cuaderno escolar bastante grueso, de hojas cuadriculadas, forrado en papel araña de color verde:

176

sobre la tapa, una mano infantil había dibujado una cruz marrón que proyectaba en todas direcciones largos rayos amarillos. Sobre la cruz había algo con alas, una especie de pájaro o ángel de Chagall que, tuve la sospecha, representaba al Espíritu Santo. Cuando le pregunté quién había hecho ese dibujo, ella, sentada en la posición del loto, desnuda, con unas horquillas en la boca, suspendió un momento el arreglo de su doble trenza circular y se tocó el pecho con el dedo. Anoto este detalle nimio porque es mi último recuerdo de esa noche del cuerpo desnudo de Christiane, y quizá lo único que de veras me queda de ella. En las dos horas siguientes, no volví a mirarla. El cuaderno, según Christiane, era el texto con que Van Hutten le enseñó a leer en nuestro idioma. Era la transcripción de la epístola evangélica que el arqueólogo decía haber hallado en Jericó, la única prueba, si podía llamarse una prueba, de que el viejo no mentía. Van Hutten la había traducido al español, casi por juego, para uso de Christiane, hacía doce años. Parecía típico de un hombre como Van Hutten imaginar un método semejante de lectura para una nena que en ese entonces debía tener nueve o diez años, y, mucho más típico, que hubieran existido otros cuadernos como éste —quemados, me pareció entender, por Hannah, quien intentaba borrar todo rastro de la epístola para proteger al arqueólogo de alguien o *de algo*—, cuadernos con los que Christiane aprendió inglés, alemán y portugués. Precisamente la existencia de un cuaderno portugués, de un texto escrito en un idioma latino, había salvado el cuaderno español. Hannah debió creer que estos dos cuadernos eran el mismo, y Christiane, sin proponérselo, conservó el que yo tenía ahora en mis manos.

Estaba escrito en dos direcciones. De la primera hoja en adelante, la traducción, que abarcaba más de la mitad de las páginas; de la última hacia el centro, una serie de comentarios y notas en diversos idiomas. También había dibujos. Recuerdo sobre todo dos: el anverso y el reverso de una moneda romana. En uno de los círculos se veía el perfil de Tiberio; en el otro, una espada. Debajo de este último círculo, Van Hutten había escrito: ¿a César lo que es de César?

La letra del cuaderno, muy pequeña, pero anormalmente clara y legible, era sin lugar a dudas la misma que yo había visto en la dedicatoria al libro de Holstein. En los márgenes, había anotaciones de tipo gramatical sobre el uso de los verbos castellanos, explicaciones de palabras que el arqueólogo seguramente consideraba difíciles para una niña en edad escolar (ejemplo: "esto es lo que lo que griegos llamaban *kerygma*"), y, a veces, mínimas exégesis teológicas que al arqueólogo debían parecerle perfectamente comprensibles por una niña, a los diez años de edad. El texto empezaba como el Evangelio de Juan: *En el principio era el Verbo, y el Verbo era Dios y el Verbo estaba en Dios*, y Van Hutten explicaba que Verbo quiere decir Palabra, pero también Logos, como en griego, y que ese comienzo era, en realidad, un salmo o una antífona judíos que, muchos años antes de Jesús, debió cantarse entre los esenios. Yo le pregunté a Christiane si, a los diez años, ella tenía una idea clara del sentido de esa acotación, y ella me dijo que no mucha, pero que sobre todo le había costado entender la diferencia entre Verbo, en el sentido teológico, y verbo, en el sentido gramatical, porque para ella los verbos eran correr o cantar o vivir, y no le parecía que el Logos, que era la palabra de Dios, pudiera ser al mismo tiempo un verbo. Yo le dije con resignación que me daba cuenta del problema y ya no le pregunté nada más, al principio porque me pareció inútil, después porque el texto no me lo permitió.

De Juan, el anciano, a Teófilo, testimonio de lo que vi con mis ojos y oí con mis oídos y toqué con mis manos, porque andan entre nosotros falsos testigos que ni vieron ni oyeron ni tocaron pero blasfeman con su Palabra y torcieron mi palabra.

Ése era el comienzo de la epístola propiamente dicha, y digo que era, deliberadamente. No estoy seguro de que me sea lícito decir que es. Si me atengo al cuaderno de Christiane que ahora está sobre mi mesa, debería escribir en presente, pero en ese caso también podría seguir copiándolo palabra por la palabra, y tengo buenas razones para no hacerlo. Ni éste es un libro de Historia ni ese cuaderno escolar es lo que un hombre como yo llamaría un documento fehaciente. Por lo demás, escribiendo estas páginas descubrí que lo demasiado real, al ser tocado por las palabras, ingresa en una región parecida a la de los sueños. Para saber esto me basta releer lo que me queda del cuerpo de Christiane.

Jesús, en efecto, había nacido según la carne, pero, como se desprendía del resto de la epístola, nacer según la carne no impedía ser hijo de Dios, engendrado misteriosamente por Dios. Se lo llamaba Yoshua, el hijo de Iosef y de Myriam, y tuvo cinco hermanos varones y, por lo menos, dos hermanas mujeres. Jesús, lo mismo que el Bautista, se había educado en el Desierto, con los esenios, de quienes adoptó la regla de los bienes en común, la cena ritual, la ceremonia del bautismo y su desprecio por la propiedad, pero al cumplir treinta años se apartó de la secta, en rebeldía con ella o autorizado por ella, para predicar su propia doctrina y formar su propia orden. Se permitió beber, cosa que no hacían los esenios, y curar en sábado, "porque el sábado fue hecho para el hombre y no el hombre para el sábado". Nunca, sin embargo, dejó de sentirse esenio. De ahí, precisamente –según un comentario de Van Hutten escrito en la parte del cuaderno que comenzaba por la última página–, la paradoja de que los esenios no aparezcan nombrados una sola vez en los evangelios que han llegado hasta nosotros, ni en los Hechos de los Apóstoles ni en las cartas de Pablo: Jesús se enfrenta con los sacerdotes de la Sinagoga, con los saduceos y con los fariseos, los llama hipócritas, raza de víboras, sepulcros blanqueados llenos de podredumbre, y lo hace siempre como se habla de *los otros*, de los que no son como él ni como los suyos. Cuando reconoce al buen judío lo llama sencillamente un hombre justo, o un pobre, que eran precisamente los nombres que los esenios se daban a sí mismos. Dos de los apóstoles, Judas Iscariote y Simón el Zelote, fueron, tal como sus apodos lo indicaban, hombres de guerra. Iscariote no quería decir "de Carioth", o nacido en Carioth, sino Sicario, es decir, hombre armado con una sica: zelote. Y otros dos apóstoles, probablemente el propio narrador y su hermano Santiago, eran casi invariablemente llamados Hijos del Trueno. Como en el evangelio tradicional de Juan, abundaban en la epístola los datos horarios, los pormenores y los detalles topográficos ausentes en los tres evangelios sinópticos; pero que en el cuarto evangelio ("dos días después partió para Galilea"; "Jesús, fatigado del camino, se sentó junto al pozo de Jacob alrededor de la hora sexta"; "hay en Jerusalén, junto a la Probática, una alberca llamada en hebreo Betesda, que tiene cinco pórticos"; "Jesús, agachándose, se puso a escribir en la tierra con el dedo"...) sugieren con tan misteriosa fuerza un testigo presencial. La crucifixión era en tal sentido muy precisa. La cruz fue acostada sobre la tierra y el cuerpo de Jesús echado de espaldas sobre ella con los brazos abiertos y los pies unidos. Jesús fue "cosido" al patíbulo, es decir clavado a mazazos por las muñecas y por los empeines, como los romanos ajusticiaban a los rebeldes políticos, no atado con sogas como los criminales y los ladrones. Gritó cuando lo clavaron; y le preguntó a su Padre por qué lo había sacrificado, cuando murió. Ningún soldado romano se disputó sus ropas, ni siquiera para que se cumplieran las profecías. Descalzo y vestido con un sayal de lino ensangrentado y hecho jirones, no había nada que disputar. Sí, a media tarde, hubo una tormenta y un temblor en la tierra y el velo del Templo se desgarró de arriba abajo. Faltaban en la epístola, como en el fragmento de la tinaja, la escena del agua transformada en vino durante las bodas de Caná y casi todos los milagros, a excepción del de los panes y los peces, la curación de unas mujeres y la resurrección de Lázaro, de quien se decía que despertó. Figuraban, casi textualmente, el Sermón del Monte y las Bienaventuranzas que se atribuyen sólo a Mateo y a Lucas, con la diferencia de que, donde Mateo dice "bienaventurados los pobres en espíritu", acá decía simplemente pobres, como en Lucas, y las palabras estaban enunciadas en segunda persona. *Bienaventura-*

dos vosotros los pobres. Bienaventurados vosotros los hambrientos, porque seréis saciados. Y como también en Lucas: *He venido a poner fuego en el mundo, y cómo quisiera que ya estuviese ardiendo.* Por último, Judas nunca traicionó a Jesús. Esto explicaba las enigmáticas palabras con que culmina la escena en el huerto: *No perdí a ninguno de los que me diste,* palabras que carecerían de sentido si Judas se perdió, y, sobre todo, explicaba el designio escondido en la frase: *Lo que tienes que hacer, hazlo pronto,* durante la Cena. Lo que *tienes* que hacer fue una orden. Judas no vendió a Jesús: Judas cumplió con el mandato que sellaba un pacto. Y por eso, como lo dice, casi a pesar suyo, lo que nos ha llegado de Juan, ninguno entendió la enormidad del propósito que ocultaban sus palabras. En cuanto al largo día inexplicable de los libros canónicos, esa casi infinita noche pascual de la Última Cena en que Jesús fue prendido y compareció ante Anás y compareció ante Caifás y compareció ante Pilato y compareció ante Herodes, y volvió a comparecer ante Pilato, noche físicamente imposible cuando nos atenemos a la tradición, sólo podía entenderse por el hecho –anotado al margen por Van Hutten– de que Jesús no celebraba la Pascua judía sino la de los esenios, cuyo calendario solar con ciclos invariables de 365 días no coincidía con el calendario lunar judío y determinaba que las fiestas, cada año, cayeran exactamente en el mismo día. O lo que es igual, que la Última Cena debió celebrarse un miércoles, es decir, la noche *anterior* a la Pascua oficial, y que el juicio a Jesús duró dos días completos. La inquietante escena del último diálogo entre Jesús y Pilato, permanecía intacta, en toda su belleza, misterio y ambigüedad. "Para esto he nacido y para esto vine al mundo, para dar testimonio de la Verdad", ha dicho Jesús. "¿Qué es la Verdad?", le pregunta el romano, dándole la espalda.

La narración terminaba en el momento en que la Magdalena encuentra la tumba vacía.

Me doy cuenta de que todo esto es apenas comprensible, a menos de tener a la vista los evangelios, pero sólo pretendo dar una idea de lo que sentí yo mismo al hojear el cuaderno de Christiane. Aun leída a medias, la epístola resultaba una combinación, casi demasiado perfecta, de los libros canónicos y de las ideas religiosas de Van Hutten. Pero si aquello no era una locura o un fraude, si esa carta tenía el mínimo fundamento, tal vez Jesús, el verdadero Jesús, todavía estaba esperando ponerle fuego al mundo.

—Tengo que irme —dijo finalmente Christiane.

No le pedí que me dejara el cuaderno. Sin mirarla de frente, le pedí que volviera a traerlo la noche siguiente, o alguna otra noche.

—Puedo dejártelo —dijo sonriendo—, y además volver.

Le dije que no. Christiane me preguntó por qué.

—No sé si a tu edad lo entenderías —dije—. Supongo que necesito tener alguna excusa.

Capítulo nueve
Cena con el doctor Golo

Lo que yo necesitaba todavía esa noche era una excusa, sólo que no podía saber si se trataba de una excusa para seguir leyendo el cuaderno de Christiane o para acostarme con ella con la excusa del cuaderno. Hoy sé qué se trataba de la segunda, porque, aunque han pasado años, no puedo apartar de mi recuerdo el cuerpo de Christiane, su calor a mi costado mientras yo leía, pero, como ya lo he escrito en algún lugar, soy de ese tipo de personas que sólo comprenden el significado real de las cosas cuando las recuerdan, que es igual a decir cuando las han perdido. En aquel momento, sin embargo, no lo sentía de ese modo. La sola posibilidad de que Christiane volviera a aparecer en mi habitación la noche siguiente, me inquietaba por demasiadas razones, aunque esa primera noche me bastaba con una sola. Tenía tan pocas ganas de repetir aquello, con ella o con cualquier otra mujer, como de creer en las palabras de Van Hutten. De cualquier manera, Christiane no volvió la noche siguiente, ni tampoco la otra, y empecé a preocuparme. La vi por fin en la casa en la piedra, una de las últimas veces que subí a hablar con el arqueólogo. Yo salía de la sala circular y ella estaba de espaldas, en uno de los balcones que daban al valle de la cumbre. Sólo cuando me acerqué me di cuenta de que Hannah estaba a su lado. Eché mano a lo mejor de mi presencia de ánimo, y a lo peor de mi cinismo, y comenté algo acerca de la tormenta de unos días atrás, haciendo hincapié en los síntomas de un resfrío, que, según dije, estaba lejos de habérseme curado. Hannah me escuchó un instante, con la mirada baja, y, alzando de golpe sus hermosos ojos grises, me dijo que entonces le parecía inadecuado que conversáramos tanto tiempo con Van Hutten, por mi salud y, como podía imaginarme, sobre todo por la de él. Esa mujer no sólo me tenía poca estima y desconfiaba de mí, sino que me detestaba, pero de una manera tan franca y, por decirlo así, tan natural y ajena a la maldad, que la admiré. Un carácter como ése, a los veinte años, daba perfectamente a la chica belga de los acantilados. Después, como si estuviera haciéndome la pregunta más inocente del mundo, quiso saber cuándo me iba de La Cumbrecita. Muy pronto, le dije. Mucho más pronto de lo que me gustaría. Y sin importarme las consecuencias de lo que estaba haciendo, mientras decía eso miré a Christiane. Esa noche la chica volvió a aparecer en la puerta ventana de los pinares, y también la noche siguiente. En este último encuentro no trajo el cuaderno, y, aunque yo no podía saberlo, fue la última vez que la vi.

Hacia el final de esa misma tarde, el doctor Golo se presentó en el hotel.

—El profesor Van Hutten anda con un humor de perros y Christiane se despertó con fiebre. Anita sostiene que usted nos va a contagiar algo a todos. Mejor hablemos usted y yo solos acá abajo. ¿Le interesa el meollo de la historia?

Le pregunté si pensaba contármela él.

—Sé lo que quiere decir —dijo el doctor Golo—. Mi estilo no está a la altura de la seriedad del caso. Pero no se engañe. Puedo remontarme a la epopeya, si me dejo llevar por mi alma rusa. Bien mirado, qué mejor que un ruso para tratar ciertos temas.

El doctor Golo habló durante un rato, sin agregar nada a lo que yo, en parte, ya conocía. Por un momento, tuve la sospecha de que este hombre sabía perfectamente que yo estaba al tanto del cuaderno, aun cuando ignorase la situación exacta en que había ido a dar a mis manos, pero me bastó meditarlo un segundo para decidir que no. Golo no era el tipo de persona capaz de pasar por alto una oportunidad de hacerme sentir incómodo. Cuando me animé a preguntarle si él había visto lo que el arqueólogo llamaba la epístola, me preguntó a su vez cuál epístola, ¿la epístola de Jericó? El no podía hablar de eso. Ese hallazgo, si había existido, pertenecía por completo a Van Hutten, y sobre todo a su conciencia de arqueólogo, pero podía hablarme de los rollos del Mar Muerto en general, si por fin habían comenzado a interesarme. ¿Me interesaban?

Le dije que sí.

—Qué estilo prefiere —preguntó—. Hay el estilo Golo y el estilo Van Hutten. Tantos años de paladas y discusiones, me permiten imitarlo perfectamente.

—El que quiera —dije.

—Entonces prepárese para una cruza.

He dudado mucho antes de decidirme a escribir lo que sigue. Dar una idea siquiera aproximada del estilo oral del doctor Golo, como he podido darme cuenta releyendo estas páginas, está muy por encima de mis posibilidades de expresión; ese mismo estilo, si además parodiaba al de Van Hutten, va más allá de las palabras. Estaba hecho de sobreentendidos, silencios inesperados, giros en media docena de idiomas, preguntas que no esperaban respuesta y un formidable desdén por la inteligencia ajena. Me resigno a evocar en unas pocas páginas dos o tres momentos de una conversación que empezó en el parque de los álamos, al atardecer, y terminó bruscamente en el comedor del hotel, a la hora de la cena. ¿Empezábamos por dónde?, ¿por el principio? Mejor empezábamos por el final porque el verdadero principio había ocurrido hacía dos mil años, y él sólo era octogenario. En 1947, Van Hutten encontró la tinaja. Nunca dijo dónde, se apresuró a acotar aquí el doctor Golo, y él tampoco se lo había preguntado porque, según temía, algo pecaminoso, quizá sexual, andaba mezclado en el asunto. Un poco después fue lo de Muhammad ad Dib. Hasta ahí, todo más o menos normal. Buscar y encontrar lo que se busca o encontrar cualquier cosa por pura casualidad, en el fondo da lo mismo. ¡El azar es la Providencia de los imbéciles!, tronó el doctor Golo, imitando la voz de Van Hutten, no sin agregar que la frase era de Léon Bloy. Pero había que admitir, continuó con su voz, que sin un cierto grado de lo que el pueblo inocente llama, ¿cómo se dice en argentino?, buona fortuna, el conocimiento humano no existiría y la vida sería harto monótona. De modo que Vladslac cavaba en Jericó y Van Hutten cruzaba hasta los acantilados del Mar Muerto, generalmente de noche, generalmente acompañado por una joven alumna de ojos grises. Tampoco encontraban mucho pero solían volver, en realidad ella, con la espalda embarrada. En su ya larga vida, el doctor Golo había contemplado mujeres lindas, agradables, más o menos, pero nunca había visto una cristiana tan delicada, inquietante y terca como aquélla. ¿Sabe por qué nunca me casé?, me preguntó de pronto, con un tono que no era el suyo ni el de Van Hutten, un tono que yo no le había oído hasta esa tarde. Porque siempre estuve enamorado de esa mujer, y ella sólo vivía y vive para Stan. En fin, que un día el doctor Golo también empezó a cruzar a los acantilados y dieron con el asentamiento del Qumran, con su horno y su cisterna, con sus dos torres y sus tumbas que miraban hacia el Sur, cosa rara, porque los judíos enterraban a sus muertos con la cabeza para cualquier lado. Todo el mundo sabía que Stan nunca le temió a la elocuencia: "Si estos esenios eran sólo monjes", había dicho esa mañana el arqueólogo, "si éste no es el Desierto en que se crió el Bautista, que Dios cierre su mano sobre mí". ¡Stan!, dije yo. Pero Dios no cerró su mano, al contrario, fue como si después de dos mil años se decidiera a abrirla. Las tribus beduinas empezaron a encontrar cuevas por todas partes, y a desenterrar tinajas y rollos como si cosecharan papas. El primer descubrimiento fue lo que hoy se llama Cueva 1. Siete vasijas, con siete rollos entre los que estaban el *Rollo de la Guerra*, el de Damasco, la *Regla de la Comunidad*, un Isaías original anterior en mil años a cualquier Isaías conocido, el *Comentario de Habakuc* y algo que parecía un *Génesis*... ¿Quería yo, ya que me gustaba imaginar el color leonado de la luna, las escarpas terribles de Judea, el contorno entre la niebla del Monte Horeb, quería yo, hombre de la ciudad, saber cuál era la forma sagrada de una tinaja esenia? Un tarro de lechero, tamaño mediano, pero de barro. Lo que viene a continuación, está escrito en cualquier libro escandaloso. Resumido, es así. Tres rollos fueron comprados al precio de veintiséis libras palestinas por Mar Atanasio Yeshue Samuel, metropolitano del convento sirio jacobita de San Marcos. Un estudioso y patriota judío de nombre Eleazar Sukenik, que además era papá de Yigael Yadín, oficial del estado mayor del ejército israelí y futuro arqueólogo, consiguió comprar cuatro. Cierto caballero norteamericano llamado Miles Copeland, quien durante la segunda guerra mundial había pertenecido a la OSS, bajó o subió a Damasco y tuvo la suerte de que un árabe desconocido también le ofreciera unos pergaminos. Una casualidad de ésas en las que ni Lev Nicolaievich cree, dijo el doctor Golo imitando la voz de Van Hutten, hizo que la OSS ya se hubiera transformado en la CIA y que dicho agente yanqui tuviera una esposa, ¿de profesión?: arqueóloga. El hombre, desconfiando de los árabes, intentó fotografiar el rollo en la ventilada azotea de la legación norteamericana de Damasco, con tan mala suerte, que un ventarrón le voló parte lo que se presume un *Libro de Daniel*, hoy perdido. También se le extraviaron las fotos. Más o menos por la época de la declaración del Estado de Israel, Sukenik recibió desde los Estados Unidos la confirmación de que sus tres rollos eran auténticos. Le pareció una señal de Dios. Cuando decidió informarlo, una bomba estalló a unos metros, lo que acaso fue considerado por los musulmanes como una señal de Alá. Se declaró la guerra. Los árabes bombardearon Israel. Creo que ese día Stan conversaba con un amigo en las criptas del Santo Sepulcro y si mal no recuerdo esa misma tarde se casó en secreto con Hannah. Mar Atanasio, eludiendo la vigilancia del gobierno jordano, abandonó su convento y se llevó sus cuatro rollos a los Estados Unidos, con el objeto de protegerlos de las bombas, aunque también, quizá, con la intención de pignorarlos en beneficio de su orden, de modo que un día puso un aviso en el *Wall Street Journal*, se venden originales del Espíritu Santo, gran oportunidad, y Yigael Yadín, que ya no era general sino arqueólogo doctorado con una tesis sobre los rollos del Mar Muerto, decidió comprarlos, testaferros mediante, ahora por 250.000 dólares, y los embarcó en secreto otra vez hacia Tierra Santa. La operación financiera se llevó a cabo en el hotel Waldorf Astoria, porque Dios merece lo mejor. Por ese entonces el reverendo padre Roland De Vaux, hombre agradable, carismático, algo antisemita, estaba a cargo de la Escuela Bíblica y del departamento de Antigüedades del Museo Palestino de Jerusalén, ciudad todavía en manos de Jordania. El cura, en su mocedad, había pertenecido a la Acción Francesa, organización quizá no del todo fascista, y encima era dominico. Me imagino que usted sabe, señor, como murmura Stan cuando imagina perfectamente que el otro no sabe, dijo el doctor Golo, me imagino que hasta un historiador argentino sabe que los dominicos, en el siglo XIII, inventaron el Santo Oficio, también conocido como la Santa Inquisición. ¿Eso me decía algo acerca del padrecito? Hacia 1950 el padre De Vaux organizó su propio grupo de sabios, y también entró a cavar, comprar, desenrollar e interpretar. Lo único que no debía desenterrarse ni interpretarse era cualquier documento que vinculara a los esenios del Qumran con el cristianismo primitivo, ni, mucho menos, con los zelotes, famosos por su mal carácter y su tendencia a la degollación. Nosotros, mientras tanto, seguíamos excavando por nuestra cuenta, y en las ruinas de Mird o en Murabat, o tal vez en Jericó, como da a entender Stan, que a veces pierde la memoria o parece ocultar algo, pero pongamos, en Jericó, alguien encontró una epístola evangélica. Yo no fui. Ni la vi. Ni quiero verla. Y de pronto el Señor volvió a abrir la mano, y fue el caos. Los beduinos descubrieron la famosa Cueva 4, exactamente a quince metros de donde habían estado cavando De Vaux y su inepta cuadrilla, y los dominicos empezaron a tener problemas. La rollería se llenó de textos esenios que recordaban demasiado a los evangelios. Menos mal que enseguida empezó otra guerra. John Allegro, que hasta entonces pertenecía a la Escuela Bíblica, discutió con De Vaux, fue desacreditado —y el doctor Golo me susurró al oído que con razón, porque ese hombre era medio raro— aunque consiguió que el rey Hussein de Jordania lo nombrara asesor del Museo Arqueológico Palestino. Museo internacional financiado, dicho sea de paso, por los dólares norteamericanos de la Fundación Rockefeller, y al que Hussein decidió expropiar para su país a sugerencia del profesor Allegro. Momento en que Israel le declaró la guerra a Jordania, la derrotó y, como primera medida, los paracaidistas judíos ocuparon el Museo Arqueológico con cuanto había adentro, excluido, naturalmente, el pobre Allegro, que a pesar de su apellido terminó loco del todo escribiendo libros sobre la influencia de los hongos alucinógenos en el carácter de Jesucristo, el cual Jesucristo, pese a la influencia de esos hongos, nunca existió, según Allegro. Le informo algo que puede interesarle, a usted que es historiador. Ya a fines de la década del cincuenta, el general Moshe Dayán, sin necesidad de ser arqueólogo, había planeado un insalubre operativo militar hasta el mismo centro del Museo Palestino, por las sacras aunque fétidas alcantarillas de Jerusalén, con el religioso propósito de embolsarse los rollos, caso de fallarles a los militares el derecho que da la victoria. Lo interesante de todo esto, desde el punto de vista del azar, es que el Museo Palestino, al ser nacionalizado por el rey Hussein, había perdido su carácter internacional y pasó a ser jordano, de manera que a partir de la derrota de Jordania se transformó, automáticamente en propiedad de Israel. Y como no obsta haber sido algo fascista y antisemita para confraternizar con los sabios paleógrafos hebreos, tratándose de La Palabra, el padre Roland De Vaux siguió como siempre a cargo de la rollería, en pleno Jerusalén ahora israelí, y hasta el año 1971, *aetas Domini*, fecha en que gracias a Dios este cura se murió para siempre, como diría sin la menor caridad el blasfematorio Van Hutten, dijo el doctor Golo, nuestro carismático dominico siguió departiendo amistosamente sobre Isaías con los hasta ayer asesinos del Señor, a condición, claro, de que nadie le viniera con la historia de que los esenios eran zelotes. Lo que no impidió que Yigael Yadín, arqueólogo, aunque ex general del ejército Israelí, subiera un día a una meseta situada a unos cuarenta kilómetros al sur del Qumran, junto al Mar Muerto, y encontrara lo que encontró. Usted, señor, que anda en busca de verdades y les llama Historia, dijo el doctor Golo con la mirada de Van Hutten, tiene, me imagino, alguna idea de lo que era la Metsada. Cállese. Metsada era lo que nosotros llamamos Masadá, y significa fortaleza. Era el lugar donde se suicidaron mil guerrilleros zelotes antes que capitular frente la Décima Legión. Era el formidable bastión de roca y santidad donde mataron a sus mujeres y a sus hijos, antes que someterse al oprobio del Imperio. Bueno, mi querido amigo, allí, en esas alturas sólo tocadas por las nubes y por las milicias de los ángeles de Dios, también se encontraron rollos esenios, idénticos a los del Qumran. Misma caligrafía, misma letra cuadrada, mismo pobre idioma hablado por los pobres. Lo raro, lo difícil de tragar es que en medio de toda esta ordalía bíblica, ¿no?, nunca se encontrara un solo protoevangelito cristiano.

—Usted qué va cenar —se interrumpió el doctor Golo—, así yo pido otra cosa y le picoteo. —Vi que el propio Holstein estaba junto a nuestra mesa, esperando que ordenáramos la comida. Yo dije lo que quería y el doctor Golo pidió consomé. Después me dijo: —¿Qué le parece?

—Suena casi demasiado novelesco. Me quedo con su teoría de la casualidad.

—Yo también, no me haga caso —dijo el doctor Golo—. Hablé para ir engañando el estómago. Comparado con la epístola, lo que le conté es una historia para asustar niñitos de corta edad.

—¿La epístola?

—La epístola de Jericó.

—Hace un rato dijo que nunca la había visto.

—No la vi ni quise verla. Pero la conozco casi de memoria. Stan me la leyó en varios idiomas, incluido el arameo.

—¿Puedo hacerle una pregunta?

—Usted siempre nos dice lo mismo. Claro que puede. Pero hágala rápido que ahí viene nuestra última cena.

—Si Jesús quería ser entregado para desatar una rebelión contra el imperio, y era hijo de Dios, ¿por qué fracasó?

—No siempre acierto con los giros coloquiales, pero creo que en este país eso se llama salir con un domingo siete.

—Contésteme.

El doctor Golo miraba por la ventana hacia la noche del camino, más allá de los últimos árboles.

—Cuando nos conocimos le dije que usted me gustaba porque era frontal, ¿se acuerda? Pim pum y al grano.

—Contésteme.

El doctor Golo volvió la cara hacia mí casi con tristeza. Me pareció desconcertado. También me pareció que eran su propio desconcierto y su propia tristeza.

—No sé, hijo... Cómo voy a saber yo semejante cosa. Tal vez era necesario que todo saliera mal. O tal vez Lutero tenía razón, y Dios, a veces, actúa como un loco.

Esa noche Christiane volvió a entrar en mi cuarto. No traía el cuaderno, y, como ya dije, aunque entonces yo no podía saberlo, fue la última vez que la vi.

Pero decir que la vi es otra de esas expresiones vacías que se deslizan entre las palabras. No la vi. No la vi llegar ni la vi irse. Sentí en la oscuridad que algo le pasaba, algo triste y quizá definitivo, pude sentirlo porque a veces la tristeza irradia con tal fuerza del cuerpo de una mujer, que se apodera de nuestro cuerpo y lo envuelve como en un sudario, pude o debí sentirlo, pero no me importó, tal vez porque todavía entonces el cuaderno me preocupaba más que Christiane. Todo ocurrió con la luz apagada y en silencio. En algún borde de la noche supe que la chica estaba a punto de decirme algo, pero le tapé la boca y me hundí en su cuerpo hasta obligarla a clavarme con odio los dientes en la mano.

No la vi irse cuando salió de mi cuarto. No había visto siquiera su silueta en la ventana del pinar, cuando llegó, porque no la esperaba y me despertó el contacto de su cuerpo.

Capítulo diez
"Usted no es Van Hutten"

Cualquiera lo ha sentido. Un sobre a punto de ser abierto o el timbre del teléfono producen en ciertas ocasiones una inquietud muy parecida al miedo. Lo que sobreviene de inmediato confirma casi siempre esa sensación. Eran las diez de la mañana y yo acababa de levantarme; cuando oí que golpeaban la puerta de mi cuarto tuve la certeza de que aquello no era bueno para mí. Pregunté quién es y reconocí en el acto el sonido de una voz de mujer que, sin embargo, apenas había oído desde mi llegada a La Cumbrecita.

–Hannah –dijo, simplemente, Hannah.

En el caso del sobre sin abrir o del llamado telefónico, lo que de veras sucede es que uno sabe de antemano que existen razones suficientes para alarmarse, de modo que la confirmación no lo sobresalta ni lo sorprende.

–Un momento, por favor –dije.

Estiré lo mejor que pude el acolchado de la cama, desparramé unos libros encima, fui hasta el baño y me miré en el espejo. No había nada en mi aspecto que pudiera arreglarse. Me pasé la mano por el pelo y fui a abrir: Hannah estaba mirándome. Quiero decir que sus bellos ojos grises habían estado ahí, a la altura de los míos, desde antes que yo abriera la puerta. Señalé los sillones del vestíbulo. Ella dijo suavemente que no con la cabeza. La hice pasar, dejando entornada la puerta.

–Usted es muy considerado –dijo Hannah–. Pero puede cerrarla.

Se sentó en el único sillón que había en el cuarto y yo me senté en una silla frente al tablero de ajedrez.

–Usted dirá.

–Los dos sabemos a qué vine –dijo ella, y sin que yo terminara el gesto de no comprender, agregó: –Vine a pedirle que se vaya. –Miró la cama y los libros sobre la cama. –A su modo, usted tiene cierto sentido del humor. Los libros sobre la cama son un detalle que, en su juventud, habría apreciado Stan.

La serena inteligencia de esa mujer era tan cautivante como debió serlo su belleza. Era una lástima que, desde mi llegada, se sintiera mi enemiga, pero sobre todo era lamentable que, ahora, tuviera motivos reales. Seguí sus ojos y me decidí a enfrentar la situación.

–Justamente por eso –dije mirando fugazmente la cama– no estoy seguro de que quiera irme. Ni siquiera estoy seguro de que deba irme.

–Tiene mucha razón –dijo–. Pero ya no puede quedarse. Esta noche va a hablar por última vez con Stan, no en nuestra casa, y a la madrugada nos va a dejar en paz para siempre.

No fue precisamente un modo de hablar ambiguo. Hannah pertenecía a ese tipo de mujer que hace de la sinceridad un invisible manto real. No me cabía la menor duda de que era ella quien había educado a Christiane.

Pensé en Christiane y pensé que la única palabra que ella había omitido hasta ahora era la que debía pronunciar yo.

—Tal vez soy una persona diferente de lo que usted imagina. No puedo irme sin hablar con Christiane.

Hannah no tenía la costumbre de permanecer con los ojos bajos. Simplemente los apagaba unos segundos, desviándolos hacia cualquier objeto, y volvía a mirar de frente. Tenía absoluta conciencia de la claridad de su mirada.

—Usted no va a verla nunca más. No la vería otra vez aunque se quedara a vivir en La Cumbrecita.

—¿Quién decidió todo eso? ¿Van Hutten?

—Él no sabe que usted se va mañana. Dígaselo usted mismo, de la manera que le parezca mejor. Él lo va a aceptar sin una pregunta, usted ya lo conoce. Lo único que no debe decirle, ni a él ni a Lev, es que se acostaba con Christiane.

No era una sola palabra la que faltaba pronunciar, eran dos, y ella la pronunció con la misma naturalidad con que podría haber dicho que salíamos a juntar flores. O me quedaba callado o preguntaba por qué.

—¿Por qué?

Con la punta de los dedos quitó una pelusa imaginaria de su pollera y, unos segundos después, volvió a mirarme sonriendo casi para sí misma.

—¿Cómo cree que lo tomarían? Noches enteras hablando de lo que hayan hablado para terminar confesándoles que, mientras tanto, usted se acostaba con Christiane. No, ellos ya no son capaces de imaginar algo así. Dicen disparates y seguramente han hecho peores cosas que nadie, pero en el fondo son ingenuos. Ellos lo estiman.

—En cambio usted, Hannah, no es ingenua. Nunca me estimó. Lo curioso es que terminé dándole la razón.

—Tal vez hoy lo estimé un poco, por sus libros sobre la cama. Tal vez, aunque no lo crea, hasta llegue un día en que podamos reírnos de eso con Christiane. En cuanto a lo otro, no, no soy ingenua. Ninguna mujer lo es.

—¿Ninguna?

—Ninguna. Tampoco Christiane. Si usted se acostó con ella fue sin duda porque ella quiso. Tal vez, a su manera infantil, hasta lo obligó. Pero usted, no ella, tenía el deber de ser responsable. ¿Nunca pensó en la edad de Christiane?

—Más de una vez. Si no hubiera pensado en eso no tendríamos esta conversación. Qué edad tiene.

—No sabemos. La recogimos durante el bombardeo a Tel Aviv, en 1967. Parecía tener cuatro o cinco años. —Hannah se puso de pie. —En ese entonces, usted ya tenía más de treinta.

Fue hacia la puerta. Por su parte, nuestra conversación había terminado. Estaba detenida de espaldas a mí, esperando que yo le abriera.

—Lo que me está diciendo es que soy un hombre mayor y que Christiane podría ser mi hija.

Sentí la leve crispación de su espalda. Hannah sabía que, por primera vez, estábamos hablando en el mismo nivel.

—Sí —dijo—. Usted es un hombre mayor, y Christiane podría ser su hija.

Le abrí la puerta. Hannah se detuvo para mirarme. Ya no había ninguna hostilidad en su mirada, sólo una casi imperceptible malicia algo burlona que puso otra vez ante mí a la chica belga de los acantilados. Ella estaba esperando. Lo que yo iba a decir ahora flotaba en el aire de ese cuarto desde que empezamos a hablar.

—No le llevo muchos más años a Christiane de los que Van Hutten le llevaba a usted, cuando se acostaron por primera vez.

—Es muy cierto, *mon ami* —dijo sonriendo Hannah—. Pero usted no es Van Hutten.

CAPÍTULO ONCE
Última conversación en la cascada y la casa del tiempo

Han pasado varios meses desde que escribí esa última página, y muchos años desde aquel otoño en La Cumbrecita. Tengo ante mí el cuaderno de Christiane, tengo sobre la mesa lo que al comenzar llamé el legado de dos mil años. Es un pequeño pedazo de cuero que llegó a mis manos hacia 1990, desde algún lugar del mundo. Tiene escrita, en arameo, una sola palabra: *Nasraya*. Lo sé porque me tomé el trabajo de copiarla y dársela a leer a un rabino hebraísta de la Sinagoga de la calle Pasteur, especie de anticlímax que hubiera divertido al doctor Golo. Sé lo que ese último mensaje de Van Hutten significa, y no me refiero al texto. Sé que el arqueólogo me proponía realizar (o no realizar) una investigación probatoria. Hasta fines de los años 80 se habría necesitado destruir un considerable trozo de materia para llevar a cabo lo que los expertos llaman la prueba del Carbono 14; hoy basta con unos pocos centímetros. Sólo que esos centímetros serían todo el cuero. Suponiendo que la palabra hubiera sido escrita hace dos mil años, o mejor, suponiendo que *el cuero* tuviera dos mil años —ya que la palabra pudo ser estampada allí mucho tiempo después, y el arqueólogo no ignoraba que yo también iba a pensar en esto–, suponiendo, en fin, que todo fuera razonablemente auténtico, me habría quedado sin mi palabra aramea. Y él tampoco ignoraba que yo sería incapaz de desprenderme de su pequeño testamento, sobre todo si esa incierta fidelidad podía servirme de excusa para no creer en su historia.

–Usted es un incrédulo aterrorizado por el miedo a creer –me dijo la última tarde que lo vi–. Por eso le hice la broma sobre convertirlo en mi apóstol. Usted y yo somos muy parecidos, pero como esos árboles se parecen a su reflejo en el agua, cabeza abajo.

Pronto iba a anochecer. Estábamos sentados al borde de la cascada y no se oía más que su voz y el rumor de la caída. Un buen rato antes yo le había hecho una pregunta que el arqueólogo se demoraba en contestar.

–Quiere saber por qué –dijo al fin–. Quiere saber por qué, si todo esto no es una locura mía, no di a conocer ese documento en los años sesenta. Por qué no me enfrenté con la Iglesia, por qué no me transformé en un Evans, en un Champollion, en un Schliemann.

Le dije que sí. Era exactamente eso lo que quería saber, antes de irme para siempre de La Cumbrecita y no volver a pensar en el asunto.

–No diga tonterías, ahora que casi nos hemos hecho amigos –dijo Van Hutten–. Usted va a pensar constantemente en lo que llama el asunto. Puede llegar a olvidarse de la cara y de los ojos de Christiane, pero no va a olvidar una sola de mis palabras. Tenga –agregó, metiendo la mano debajo del chaleco–. Le faltan unas cuantas páginas.

Pensé que era el cuaderno de Christiane. Miré al viejo sin alargar la mano ni decir una palabra. –Hace bien en no preguntar de qué se trata –dijo Van Hutten–. Es parte de mi diario del Qumran. Va a encontrar una buena descripción del Santo Sepulcro. El arqueólogo no agregó nada más. Quedaba a mi criterio adivinar si estaba enterado o no de que yo conocía el cuaderno y de cómo lo había conocido. –Hoy estoy muy cansado, pero voy a intentar explicárselo –dijo después de un silencio–. El primer manuscrito, el de la tinaja, no lo mostré por vanidad, para no compartir mi hallazgo con nadie. El segundo no lo di a conocer por cobardía. Usted vivió esos años. El mundo parecía a punto de estallar. Todos ustedes, todos los de su generación eran zelotes. –Se rio pero como de lejos, sin alegría. –Ya no se trataba de comprender el mundo, sino de transformarlo, ¿no? Los muchachos salían a la calle a pedir la realidad de lo imposible, los curitas se remangaban la sotana y se hacían matar en las selvas de Colombia o de Bolivia. El compañero Jesús, harto de cargar con un patíbulo romano, andaba por esos arrozales de Vietnam munido de una buena metralleta, clamando como Nietzsche por el Hombre Nuevo. La revolución aprobada por Dios. Hubiera sido un buen momento, ¿no es verdad? Estoy tan cansado –dijo de pronto–, ha pasado tanto tiempo y me he vuelto tan viejo. Trate de entenderme, por más que no me crea. Yo, a pesar de mi rebeldía, de mi arrogancia intelectual, era un sabio cobarde y sencillamente tuve miedo de que fuera posible probar la autenticidad de esa epístola. Miedo, en suma, de que me robaran el confortable mundo cristiano que yo había conocido. En la Primera Guerra, el papa Pío había bendecido las carabinas fascistas, ahora, el buen papa Juan hacía malabarismos en latín para no quedar tan mal con el hermano Lenin. ¿Qué imagina qué podría haber pasado en esos años con un texto evangélico donde se dice que el hijo de Dios ha venido a ponerle fuego al mundo, y que está impaciente porque ese incendio ocurra? Sí, por supuesto, esas mismas palabras también las escribió Lucas, pero allí parecen versos. Lucas era un buen poeta en prosa que hablaba en griego y escribía de oídas. Esto era arameo en bruto, el idioma de los pobres de Israel, la lengua de los pescadores y los ladrones, de los carpinteros y las putas, y no había sido pervertido por los cristianos renegados ni por los romanos del siglo de Constantino. Esto era la Palabra. ¿Sabe por qué no ha habido nunca una verdadera revolución en el mundo? Porque los reformadores sociales son estúpidos y porque la Iglesia es inteligente. Sus Bakunin, sus Marx, temían irracionalmente a Dios, y sobre todo odiaban el cristianismo sin haberse tomado el trabajo de comprenderlo. Leían a Hegel, por favor, cuando tendrían que haber leído, por lo menos, a san Pablo. —Era la primera vez que yo oía a Van Hutten hablar de este modo. Se lo veía no sólo cansado sino distante. No trataba de organizar sus pensamientos, era como si los articulara en cualquier orden, a medida que acudían a él. —De modo que la Iglesia, me refiero a todas las confesiones, a la Católica, a la Protestante, a la Cismática, la Iglesia se quedó con Dios y con Jesús, a uno le puso un gorro de dormir en la cabeza y al otro lo transformó en un hippie que repartía flores, después, con la ayuda de teólogos como yo, escribió un nuevo libreto y los camellos de Herodes empezaron a pasar al trote por el ojo de la aguja, y detrás de ellos los obispos con sus mitras, y detrás los banqueros montados sobre sus generales, y por fin casi todo el mundo. Es tan fácil ser cristiano que el cristianismo resultó la religión más formidable del planeta. Levante la cabeza y mire el cielo. ¿Cuántas estrellas alcanza a ver un hombre a simple vista? Ocho mil. Y nos parecen tantas... Los cristianos somos mil quinientos millones. ¿Cómo puede ser? Con que hubiera una docena... Pero suelo pensar que nunca hubo más que uno solo, y como decía el pobre loco de Nietzsche, a ése justamente lo crucificaron. Eso es todo, señor de la ciudad. Yo buscaba un fundamento esenio del cristianismo y encontré el Manifiesto Comunista de Dios. Y cuando pude mostrarlo no lo mostré. ¿Y ahora, por qué no lo muestro ahora? Usted es lo bastante desconfiado como para haberse hecho también esa pregunta. La respuesta es otra pregunta. ¿Para qué? Hoy sería un tema de discusión académica, un debate entre filólogos, paleógrafos y eruditos que parlotean en los congresos, cuando no por televisión. Y tampoco sería nada raro que alguien demostrara, científicamente, que es un documento falso. O que nunca existió. Todo puede demostrarse. Seguramente ya le conté la historia de Shapira. Cuando uno se hace viejo repite y repite las cosas... ¿Se la conté? —Era quizá la primera vez en todas estas semanas que el arqueólogo hablaba para mí, su pregunta había sido una pregunta real, casi temerosa de que le contestara que sí. Yo había oído la historia de Shapira una de las primeras noches, en la sala circular. Le dije que no. —Hace un siglo, un anticuario de Jerusalén, llamado Moses Shapira, les compró a unos árabes un montón de bultos harapientos en los que había envueltos unos cueros. Los beduinos los habían encontrado en una cueva del Wadi el Mujib, al otro lado del Mar Muerto. En total, quince cueros de unos veinte centímetros por diez. Eran fragmentos de un antiguo Deuteronomio, un Deuteronomio que no coincidía con el oficial. Shapira los llevó a Londres y varios expertos británicos aseguraron que esos fragmentos eran auténticos. El *Times* publicó, incluso, una traducción parcial. Usted mismo la ha visto: la fotografía de una de esas páginas está enmarcada en mi biblioteca. Me parece haberlo sorprendido mirándola... ¿Seguro que no le había contado todo esto? El caso es que el ministro Gladstone habló de comprarlos para el Museo Británico. Los franceses, que nunca se han repuesto del *Enrique V* de Shakespeare ni de Waterloo, enviaron un especialista al otro lado del Canal. Ese especialista, casualmente diría usted, era enemigo de Shapira desde hacía años. El anticuario de Jerusalén se opuso a que ese hombre examinara o tocara los rollos, de modo que el francés sólo pudo ver unos pocos, en el museo, entre los periodistas y los curiosos, a través del vidrio de las cajas donde estaban exhibidos. Un erudito francés, ya se sabe, es casi tan infalible como Dios: dictaminó a ojo que eran una falsificación. Nadie se tomó el trabajo de contradecirlo y el escándalo y la vergüenza aplastaron a Shapira. Final de la historia: los fragmentos fueron comprados por un librero de Londres, por diez libras. Después nadie volvió a verlos. Hoy se ignora dónde están. ¿Shapira? Shapira se suicidó de un balazo, en 1884, en la pieza de un hotel de Rotterdam... Pongamos que nuestra epístola tuviera un poco más de suerte. Hoy existe el contador Geiger y la prueba por radiación. Bueno, en el mejor de los casos se admitiría que sí, que tiene dos mil años de antigüedad, se le pondría un rótulo, *Apócrifo de Juan,* por ejemplo, y el buen Jesús volvería a repartir flores en los supermercados... Mil quinientos millones de cristianos, apenas cien veces menos que las estrellas de la galaxia. Mire si, un día, semejante número de gente decidiera tomarse en serio el Sermón del Monte... Porque, ¿quiere que le confiese una cosa?, muchas veces he pensado que para cambiar el mundo no hacía falta encontrar nada. Bastaba con lo ya escrito en los libros que nos han llegado. Sólo había que saber leerlos. Esos libros dicen que quien no trabaja no come, que los últimos serán los primeros, que los desposeídos heredarán la Tierra, que si lo das todo menos la vida no diste nada, que con tener una fe del tamaño de un grano de mostaza se puede mover una montaña... Sí, también dicen que si nos pegan en una mejilla debemos poner mansamente la otra. Y acá es donde hay que saber leer. Porque lo que no dicen, lo que queda librado a nuestra libertad, es cómo debemos actuar cuando se nos terminan las únicas dos mejillas que nos dio Dios. Eso es lo que había que adivinar, pero nadie quiso adivinarlo... Hágame un favor, encienda su pipa –agregó casi sin cambiar de tono; su voz era tan neutra que tardé uno segundos en entenderlo–. Sí, la pipa. Hace años que dejé de fumar, pero me gusta sentir el olor del tabaco. Lev dice que por eso todavía estamos juntos, claro que los dos tenemos otras razones... Hacia 1952, en una de las ruinas, Lev Nicolaievich encontró una serie de monedas de la época de Tiberio. Siete discos de plata que de un lado tenían la cara del césar y del otro un emblema de las legiones. Las entregó, como él diría que debe hacer un arqueólogo, a las autoridades del Museo Palestino, y hoy figuran entre las que se catalogó como desenterradas en la cueva cuatro. Sólo una no figura. En el reverso de esa moneda se veía una espada romana. Lev me la dio a mí, sin decir una palabra. No hacía falta que hablara para que yo supiera en qué estaba pensando. ¿Quiere oírlo usted, antes de irse..? Uno de los momentos más inexplicables del evangelio es aquella infame respuesta de Jesús a los judíos que vienen a preguntarle si se debe o no pagar tributo al Imperio. ¿Lo recuerda? Jesús pide una moneda y les pregunta a su vez qué ven grabado en ella. La efigie de Tiberio, le dicen, y Él, miserablemente, les aconseja que den al César lo que es de César... Imagine ahora esa escena, pero imagínela con una moneda donde hay, en el revés, el dibujo de una espada. –El arqueólogo se rio suavemente en la oscuridad y yo imaginé perfectamente la escena. Ya la había imaginado unas noches atrás, cuando Christiane salió de mi cuarto: Jesús ha puesto esa moneda en la palma de su mano con la ceca hacia arriba. Den a Tiberio lo que es de él, dice. Denle espadas, y lo demás a Dios. –Por supuesto, es sólo una conjetura –continuó Van Hutten–, pero esa conjetura se aviene muy bien con la oreja que le cortó Pedro a un soldado romano en el huerto, incluso admitiendo que Jesús, a lo mago de circo, le haya vuelto a pegar la oreja en su sitio. Sobre todo se aviene muy bien con una pregunta y una respuesta que se produjeron, en ese mismo huerto, esa misma noche. "¿Cuántas espadas tenemos?", preguntó Jesús. "Dos", dijo Pedro. "Bastan", dijo Jesús. Lo que a partir de allí no está escrito, eso póngalo usted... Ayúdeme a levantarme, estoy medio entumido –dijo el arqueólogo.

Me puse de pie y lo tomé del brazo. Era la primera vez que lo tocaba. Una noche, en el camino de la hoya, él me había pasado fugazmente un brazo sobre el hombro, y alguna otra, en la casa en la piedra, había puesto su mano huesuda sobre la mía. Pero era la primera vez que lo tocaba yo, y fue también la primera en que pensé que ese hombre era un anciano. Me había sucedido unos años atrás, con mi padre: debí ayudarlo a que se sentara sobre la cama del sanatorio y sentí bajo mis dedos la fragilidad de la vejez, el cansancio ya sin orgullo de una vida vivida hasta el final, la aceptación sosegada de la muerte. Esa tarde mi padre me había mirado con una sorpresa lenta e irónica.

—Le pedí que me ayudara —dijo Van Hutten—, no que se herniara intentando alzarme. Tampoco es cuestión que nos desbarranquemos.

Volvía, casi a su pesar, a ser el mismo viejo intratable siempre, y se lo agradecí.

El último recuerdo que tengo de Estanislao Van Hutten es su risa apagada, como viniendo del centro de la oscuridad.

Esa misma madrugada me fui de La Cumbrecita. Del viaje hasta la Villa no recuerdo nada, salvo mis pensamientos, el indistinto contorno de las sierras y que, al llegar a la entrada del pueblo, Vladslac cortó camino por una calle lateral, detuvo el automóvil ante una casa y, sin apagar el motor, me pidió que lo esperase un momento. En la terminal de ómnibus me dio un pequeño paquete.

—Su casita del tiempo —dijo—. Tuve la ocurrencia de hacerle un jardín en la base, en realidad es un cajoncito secreto. Se abre desde atrás; si uno no lo sabe, es muy difícil darse cuenta. La señorita Christiane tenía una casi igual. Todavía la tiene. Se la hice yo mismo, para algo vino a servirme la arquitectura. –Yo ya estaba en mi asiento cuando vi por la ventanilla que el húngaro me hacía señas un poco desesperadas desde la plataforma. El nombre de Christiane se había instalado con tal fuerza en mí, que casi corrí hasta la puerta del ómnibus con la certeza de que Vladslac iba a decirme algo sobre la chica. –Póngala en alguna pared donde haya ventilación –dijo–. La tripa que acciona los muñequitos trabaja con la humedad del aire. Es una tripa de gato. En el cajón va encontrar dos o tres de repuesto. Cuando volví a mi asiento, el húngaro ya no estaba en la plataforma.

Cerré los ojos apenas el ómnibus se puso en marcha. Dormí voluntariamente y de un tirón hasta que la azafata me despertó sin consideraciones para ofrecerme el desayuno. Le dije que me trajera sólo una medialuna, y un whisky, agregué. Después pedí otro, esta vez sin medialuna, y le dije que por favor, si me veía dormido, pasara por alto mi almuerzo. Mientras esperaba que el segundo whisky me hiciera efecto, desenvolví el paquete.

Es una casita alpina de dos pisos con un cercado blanco y un álamo en el patio. La base, sobre la que se asientan la casa y el jardín de los álamos, mide menos de veinticinco centímetros de largo por casi veinte de fondo, y el pequeño cajón puede, en efecto, pasar perfectamente inadvertido si uno no sabe que está allí, dado que su altura, de unos cuatro centímetros, está disimulada por la valla que lo cerca. Se abre, con alguna dificultad, por la parte de atrás. Yo no lo abrí durante el viaje a Buenos Aires. No lo abrí hasta casi un año después, el día en que, mirando a un gato que recogí en la calle y que ahora es mi gato Lucas, quise saber cuál sería el aspecto final de sus tripas. En ese cajón estaba el cuaderno de Christiane. Ni una carta, ni una nota, nada que sirviera para recordármela, salvo ese cuaderno escolar y, en su portada, aquel pájaro que a mí me hizo preguntarle quién lo había dibujado y a ella tocarse, un poco orgullosamente, el pecho con un dedo mientras mordía unas horquillas y se arreglaba, desnuda, su trenza circular.

Epílogo

He vuelto tres veces a La Cumbrecita. La primera, al año siguiente de los hechos que narra este libro. Todo me pareció más o menos igual, si puedo usar esa palabra, ya que faltaban mis cuatro personajes principales. Sólo quedaban Vladslac y el conde Holstein, quienes no supieron o no quisieron decirme qué había pasado con los demás. En ese entonces aún existía la casa en la piedra, cuyo parque recorrí toda una tarde con la esperanza pueril de oír la voz de Christiane o de ver al arqueólogo apareciendo entre las matas y los macizos de campanillas. Creo que hasta hubiera agradecido contemplar de lejos, como aquel atardecer de 1983, la silueta crepuscular de Hannah entre los árboles. La segunda vez que volví, la puerta de entrada a la casa había desaparecido por completo, tapiada por unos bloques de piedra dispuestos tan naturalmente contra la pared del cerro, que era imposible imaginar nada detrás. Las ventanas, difíciles de advertir cuando existía la casa, ahora eran parte de la vegetación de la ladera. En mi última visita, hace tres años, el hotel había cambiado de nombre y ya no pertenecía a Holstein, o alguien lo administraba por él: un joven matrimonio de argentinos con ideas avanzadas acerca del turismo. En la Villa había cuatro o cinco taxis, y Vladslac había cambiado el suyo por un Volkswagen, que, según pude notar, era el único modelo de marca alemana. Cuando le pregunté por qué había renunciado al Ford, se limitó a explicarme que el Volkswagen era también un buen automóvil y que, al menos para ciertos turistas extranjeros, tenía algunas ventajas sobre los demás coches de alquiler de la Villa. "Como usted sabe", me dijo, "ellos prefieren lo que les recuerda lo suyo", y agregó –aunque esta vez no parecía venir del todo al caso– que los seres humanos son muy extraños. Nunca supe si el húngaro conocía que yo estaba al tanto de lo que Van Hutten había llamado una noche *su guerra*, pero me dio la impresión de que lo ignoraba. Cosa que ahora lamento. En un diario de ayer a la tarde, acabo de leer una noticia que a él, tal vez, no le habría parecido mal que yo comprendiera en su exacto significado.

Pero quiero rectificar una torpeza. Veo que ahí arriba he escrito *mis personajes*. Esas palabras son desafortunadas y vanamente literarias. Van Hutten, el doctor Golo, la propia Hannah, merecían algo más que un triste giro que los convierte casi en fantasmas y que sin darme cuenta he tomado de los libros. Pero, sobre todo, no son las palabras que merecía Christiane. He llegado casi a la vejez planeando historias que no escribiré nunca sobre seres muertos hace siglos, sobre el significado de guerras entre naciones sepultadas en el tiempo, para acabar dándome cuenta de que los hombres, o tal vez los hombres como yo, somos incapaces de contar siquiera lo que nosotros mismos hemos vivido. El lugar mínimo, fugitivo, que Christiane ocupa en esta historia, lo sé, es poco más que el de una sombra recortada en una ventana nocturna, puesta allí para que yo leyera un cuaderno. No es así en mi memoria ni quizá en mi vida. La chica que vi en el puente de los gansos, la que se rio de mí en el café húngaro, la que subió conmigo al cementerio de la cumbre y me mostró la letra de la vida, siguen siendo mis únicos recuerdos diurnos de La Cumbrecita.

De las tres veces que volví, sólo la última visité el cementerio. Elegí un camino que no era el que conocía. No tenía ganas de recordar aquel trayecto sino de ver algo que me había anticipado Vladslac. Una lápida acostada sobre la tierra decía simplemente: *León, hijo de Nicolás*. A su lado, la tumba de Van Hutten, aunque acaso siguiera vacía, se había vuelto por fin definitivamente real.

Va a llover en Buenos Aires. Lo sé por el diario de ayer y por mi casa del tiempo. Ese diario me trajo la noticia a que me referí antes. Un lacónico recuadro dice que en el trayecto de Villa General Belgrano a La Cumbrecita, hace dos días, se desbarrancó un automóvil de alquiler en el que viajaba un viejo matrimonio alemán residente en Bariloche, de visita por Córdoba. Los dos pobres ancianos, muy conocidos y queridos en su ciudad de adopción, murieron calcinados dentro del auto. Al chofer del taxi se lo encontró unos metros más allá, en estado de shock pero vivo, con la espalda apoyada en un árbol. Sus heridas no eran de consideración, dice el diario, sin embargo murió esa misma noche en la clínica de la Villa, mientras lo acompañaba la señora Lisa Holstein, una vieja amiga residente en La Cumbrecita.

He pensado mucho en esto. El húngaro esperaba a un hombre de origen alemán, pero estoy seguro de que en los últimos tiempos no podía haber descartado la idea de que ese hombre, ya necesariamente anciano, si visitaba por fin La Cumbrecita, no viajara solo. "Única- mente lo preocupa una posibilidad", me había dicho el arqueólogo aquella noche. Tal vez esa posibilidad se presentó en la figura de una mujer y, junto con el ale- mán, subió a su taxi. Tal vez, entre otras posibilidades desdichadas, aquélla fue la menos injusta para Vladslac. Mi gato Lucas acaba de entrar desde el patio y se acaricia a sí mismo en la pierna de mi pantalón. Él tam- bién sabe que va a llover.

El tirolés está casi fuera de la puerta y de un mo- mento a otro la mujercita va a resguardarse dentro de la casa. Salga el sol o llueva, esos dos han sido condenados a no estar juntos. Pero quizá en su mundo, a diferencia de lo que pasa en el nuestro, eso no tiene importancia.

Es una buena casa; una casa para vivir. Es una ca- baña alpina de madera, protegida por un vallado y con un techo a dos aguas de tejas color pizarra. En el vérti- ce, hay una chimenea pintada de colorado, lo que hace presumir un hogar a leña en el interior, o acaso le estoy atribuyendo más comodidades de las que tiene y sólo se trata de que por ahí anda la cocina. En el piso superior, una puerta central da al balcón, más o menos como en mi cuarto del hotel de La Cumbrecita, y, a los costados, hay dos ventanas con los postigos de par en par. Tras los vidrios, repartidos en cuatro, se ven perfectamente las cortinas floreadas. El balcón hace de alero a la doble puerta de la planta baja. Por la entrada principal, sobre una plataforma que gira sobre su eje, aparecen a su tur- no los dos habitantes de la casa, cada uno en el hueco de su puerta, mirando al frente con las manos en la cin- tura, como si fueran a bailar una polca. Son una pareja joven del Tirol, instalados sobre una pequeña platafor- ma unida de modo invisible a la tripa de gato, ni más ni menos, diría el arqueólogo, como nosotros estamos atados a nuestro destino. Están vestidos con sus ropas típicas, tal vez de domingo. Ella lleva una pollera larga y una blusa azul con mangas blancas; sobre la pollera, un delantal que le ajusta la cintura. Se ha puesto un lindo sombrero azul claro con una cinta amarilla. Él lleva pantalón corto, medias hasta las rodillas y grandes zapatos oscuros; debajo de la pechera bordada se ve su blusa blanca. El sombrero es el clásico sombrero tirolés, verde, circundado por una cinta colorada que sujeta la pluma. La casa, el jardín con la valla, y el álamo, se asientan sobre una base simulada que, en realidad, es una caja que se abre por detrás.

Vladslac no podía estar pensando en el cuaderno de Christiane la noche que me preguntó si las casas del tiempo me gustaban. Eso es lo que más le agradezco, cuando a veces la miro. Vaya a saber por qué se le ocurrió hacerme una, que seguramente fue la última.

Demasiadas veces he leído que los que escriben historias imaginarias ignoran su significado. Hasta hoy me pareció una frase de literatos, un modo de no tomar en serio lo que dicen sus libros. Esta noche pienso que hay cierta verdad en ella, y que vale para todas las historias. Yo empecé a escribir ésta creyendo que de algún modo acataba una imposición póstuma de Van Hutten, y la termino, con invencible desapego y cansancio, sin saber qué significa para mí ni para nadie. Hay en ella muchos puntos oscuros y contradictorios que no podré aclarar nunca, suponiendo que me importara hacerlo. Dónde está la epístola real, si es cierto que existió. Por qué el doctor Golo, contradiciendo al arqueólogo, decía que fue encontrada en Murabat o en las ruinas de Mird. Qué razón podía tener Van Hutten para mentirme en una cuestión de detalle, a menos que esa epístola se relacionara con otros documentos, exhumados efectivamente en el monasterio de Mird y en las cuevas de Murabat, pero que los libros sobre los rollos apenas mencionan. De qué o de quiénes quería proteger Hannah a Van Hutten; quiénes eran esos "Ellos" a que aludió Christiane. Por qué todavía hoy, a cincuenta años del primer hallazgo en el Qumran, se sigue hablando de documentos ocultos, extraviados, nunca traducidos; y por qué todo lo relacionado con los rollos del Mar Muerto empieza por el escándalo y la confusión, y acaba invariablemente en el silencio.

Va a llover en Buenos Aires, no pasará de esta noche sin que llueva.

El tirolés está solo fuera de la casa y la mujer ha desaparecido en el interior.

Siempre he sentido que esos dos son como un símbolo de algo secreto que me atañe. Pero sé que exagero y les atribuyo a los azares y destiempos de mi vida una excepcionalidad que no tienen. Tampoco el doctor Golo pudo encontrarse con Hannah, ni el arqueólogo con la verdad que buscaba, o cuando por fin dio con ella ya no supo para qué le servía. Ni siquiera el Jesús de la epístola pudo llevar a cabo su propósito, si es que de veras anduvo por este mundo con el designio que creyó descubrir Van Hutten. Bien mirado, sólo Vladslac, sólo el húngaro, ganó su guerra; pero no estoy seguro de que eso lo haya hecho dichoso.

ÍNDICE

Esta edición
se terminó de imprimir en
Grafinor S.A.
Lamadrid 1576, Villa Ballester,
en el mes de marzo de 1999.